LE PEINTRE DES VANITÉS

Deborah Moggach

LE PEINTRE DES VANITÉS

Traduction de Martine C. Desoille

Roman

LE GRAND LIVRE DU MOIS

Titre original : *Tulip Fever*

Une fois de plus, je dédie ce livre à Csaba

Les gens d'ici occupent une place élevée où ils mènent une vie digne et paisible ; au-dessous d'eux on voit bouger leurs ombres... je ne serais pas étonné si la surface des grachts reflétait encore les ombres des gens des siècles passés, les hommes portant la fraise, les femmes arborant la coiffe de dentelle... les villes d'ici ne semblent pas reposer sur terre, mais sur leur propre reflet ; ces rues, ô combien respectables, semblent émerger des profondeurs insondables du rêve...

Karel Capek, *Lettres de Hollande,* 1933

Oui, j'ai bien connu le monde de la misère et de la laideur, mais je n'ai peint que l'enveloppe extérieure, la surface miroitante, l'apparence des choses : les dames vêtues de soie, les gentilshommes en habit noir irréprochable. J'admire la lutte acharnée que ces gens ont menée pour prolonger légèrement la vie à laquelle ils étaient destinés. La mode leur a servi de rempart : accessoires divers, ruchés, manchettes ingénieuses... n'importe quel détail leur permettant de durer un peu plus longtemps avant de

9

sombrer — comme nous tous — dans le fond noir
de la toile.

Z. Herbert, *Still Life with a Bridle*

Notre tâche ne consiste pas à résoudre des
énigmes, mais à prendre conscience qu'elles existent
afin de nous incliner devant elles et de préparer nos
yeux au ravissement et à l'émerveillement perpé-
tuels. Mais si vous tenez absolument à faire des
découvertes, je vous avouerai non sans fierté que j'ai
réussi à mêler avec succès un bleu de cobalt particu-
lièrement intense et un jaune acide lumineux, de
même que je suis parvenu à rendre l'effet de la
lumière du sud projetée sur un mur gris à travers
une vitre épaisse...
Permettez-nous de poursuivre notre chemine-
ment archaïque, de dire au monde des paroles de
réconciliation, de parler de la joie que procure l'har-
monie retrouvée du désir éternel pour l'amour réci-
proque.

Lettre attribuée à Jan Vermeer

1

SOPHIA

Ne te fie point aux apparences.
Jacob Cats, *Emblèmes moraux*, 1632

Mon mari et moi sommes en train de dîner. Un filament de poireau s'est pris dans sa barbe. Je l'observe qui monte et descend au rythme de la mastication. On dirait un insecte pris dans l'herbe. Je le regarde d'un œil indifférent ; je ne suis encore qu'une jeune épouse docile qui vit dans l'instant présent. Je ne suis pas encore morte puis ressuscitée. Je ne suis pas encore morte pour la deuxième fois — aux yeux du monde cela serait en effet considéré comme une deuxième mort. Dans ma fin se trouve mon commencement : l'anguille s'enroule sur elle-même et se mord la queue. Pour l'instant je suis encore vivante, et jeune, bien que mariée à un vieil homme. Nous levons nos verres et buvons. Sur le mien est gravée une inscription : *Les espérances de l'homme sont fragiles comme le verre et la vie est courte.* Le sermon vacille avec l'écoulement du vin.

Cornelis rompt un morceau de pain et le trempe dans sa soupe. Il mâche un instant en silence, puis dit :

— Ma chère, il y a une chose dont j'aimerais vous entretenir.

Il fait une pause et s'essuie les lèvres avec sa serviette.

— Dans cette vie éphémère, ne sommes-nous pas tous à la recherche de l'immortalité ?

Je me raidis, craignant d'avoir compris à quoi il fait allusion. Je garde les yeux baissés sur mon petit pain dont la croûte éclatée évoque deux lèvres entrouvertes. Nous sommes mariés depuis trois ans mais je ne lui ai toujours pas donné d'enfant, en dépit de ses efforts répétés. En effet, à cet égard, mon mari est encore un homme vigoureux. La nuit, il me chevauche. Il m'écarte les jambes tandis que je repose sur le dos, immobile, comme un scarabée retourné sur sa carapace. Son plus cher désir est d'avoir un fils, de voir trotter un petit héritier dans les vastes salles dallées de marbre de cette pompeuse demeure bourgeoise de Herengracht.

Jusqu'ici je ne lui ai pas donné satisfaction, bien que je me soumette docilement à ses étreintes, comme se doit de le faire une épouse reconnaissante : car il m'a sauvé des dangers de ce monde, de la même façon que notre peuple a sauvé sa patrie des eaux en l'asséchant et en l'entourant de digues qui l'empêchent de sombrer dans l'océan.

C'est alors qu'il me surprend.

— J'ai engagé un peintre. Jan Van Loos. Un des artistes les plus prometteurs d'Amsterdam. Il excelle dans l'art des natures mortes et des paysages, mais plus particulièrement dans celui des portraits. Il m'a été recommandé par Hendrick Uylenburgh, un collectionneur éclairé, dont Rembrandt van Rijn, fraîchement arrivé de Leyde, est un protégé.

Mon époux aime pérorer ainsi. Il m'en dit plus que je ne voudrais en savoir, mais ce soir ses paroles volettent et s'éparpillent autour de moi sans m'atteindre.

— Je lui ai demandé de faire notre portrait ! Il est âgé de trente-six ans, tout comme notre glorieux siècle.

Cornelis vide son verre et le remplit à nouveau. La vision de nous deux immortalisés sur la toile semble le griser. La bière a sur lui un effet soporifique, mais le vin exalte son patriotisme.

— Vous et moi, citoyens de cette admirable ville d'Amsterdam qui abrite en son sein la plus grande des nations.

Je suis seule avec lui dans la pièce mais il s'adresse à un auditoire plus vaste. Au-dessus de sa barbe jaune ses joues sont écarlates.

— N'est-ce pas ainsi que Vondel a décrit Amsterdam ?

Quelles mers n'ont pas reflété les voiles de ses navires ?
Sur quels ports n'a-t-elle pas vendu ses marchandises ?
Quels peuples n'a-t-elle point vus, brillant au clair de lune,
Elle qui règne en maîtresse sur les océans ?

Il n'attend pas de réponse, car je ne suis qu'une jeune épouse innocente. Je ne connais pas grand-chose du monde qui s'étend au-delà des murs de cette maison. Les clefs que je porte accrochées à ma ceinture n'ouvrent rien d'autre que les armoires renfermant notre linge, et il me reste encore bien des secrets à découvrir. De toute façon, je n'ai pour l'instant qu'une seule préoccupation en tête. Je me demande quelle robe je vais porter pour faire peindre mon portrait. Alors vous pensez, les océans et les empires !

13

Maria apporte un plat de harengs puis se retire en reniflant. Toute la journée elle a toussé, à cause du brouillard, mais cela ne semble pas avoir entamé sa bonne humeur. Je la soupçonne d'avoir un amoureux qu'elle voit en cachette. Je l'entends fredonner gaiement quand elle est à la cuisine et, parfois, je la surprends devant un miroir en train d'arranger sa chevelure sous sa coiffe. Je vais lui poser la question. Nous sommes des confidentes l'une pour l'autre, tout au moins pour autant que nos conditions respectives nous y autorisent. Depuis que j'ai quitté mes sœurs elle est ma seule amie.

La semaine prochaine le peintre va venir. Mon mari raffole des tableaux, notre maison en est pleine. Derrière lui, une toile est accrochée au mur, *Suzanne et les vieillards*. Les anciens observent la jeune fille nue en train de prendre son bain. Lorsqu'il fait jour, je distingue parfaitement leurs regards concupiscents, mais ce soir, à la lueur de la chandelle, ils sont relégués dans l'ombre et je ne vois que la chair pâle et généreuse de la jeune fille au-dessus de la tête de mon mari. Ce dernier prend un poisson dans le plat de service et le pose sur son assiette. Mon mari aime les belles choses.

Je nous imagine tous deux formant un tableau. Cornelis, son col de dentelle blanche ressortant sur son habit noir, sa barbe qui monte et descend en cadence quand il mange. Le hareng reposant sur mon assiette, sa peau luisante fendue en deux, révélant la chair qui se trouve à l'intérieur ; les lèvres entrouvertes de mon petit pain. Le raisin, charnu et opaque à la lueur de la chandelle ; le pichet d'étain renvoyant un éclat terne.

Je nous imagine tels que nous sommes présentement, assis à la table du dîner, immobiles, capturés dans l'instant avant que tout ne bascule.

14

Après dîner il me lit un extrait de la Bible :

— « Toute chair est de l'herbe et toute sa grâce est comme la fleur des champs. L'herbe se dessèche, la fleur se fane, quand le souffle du Seigneur passe sur elles ; oui, le peuple, c'est de l'herbe... »

Mais je suis déjà un tableau accroché au mur, en train de nous observer.

2

MARIA

> *La maîtresse de maison devra garder un œil vigilant sur les manières de ses domestiques, surveiller leurs allées et venues, la façon dont ils se saluent, s'assurer qu'il n'y a ni chatouille, ni caresse, ni aucune parole déplacée entre les hommes et les femmes, car si on n'y prend garde, le vice s'installera dans la maison ou, pire encore, la folie, ce qui ternira la réputation de ses maîtres.*
>
> J. Dod et R. Cleaver,
> *De la manière vertueuse de gouverner une maison*, 1612

Tout alanguie d'amour et de désir, la servante Maria astique un chaudron de cuivre. Ses gestes sont lents et paresseux comme si elle se mouvait sous l'eau. Le chaudron ventru lui renvoie l'image déformée de son sourire. C'est une bonne grosse fille de la campagne, douée d'un appétit féroce. Sa conscience est, elle aussi, un organe solide et aisément adaptable. Lorsqu'elle entraîne Willem dans son lit, au fond de l'alcôve ménagée derrière l'âtre de la cuisine, elle tire le rideau, tenant ainsi à l'écart la réprobation divine. Loin des yeux, loin du cœur.

16

Après tout, Willem et elle n'ont-ils pas l'intention de se marier ?

C'est son rêve le plus cher. Elle imagine que le maître de maison et sa femme ont péri en mer et que Willem et elle sont venus habiter dans cette maison avec leurs six enfants. Quand sa maîtresse est sortie, elle rabat les volets pour plonger le salon dans l'ombre ; ainsi, elle a l'impression de marcher au fond de l'océan. Elle enfile le mantelet de velours bleu doublé de fourrure de sa maîtresse et se met à flâner de pièce en pièce, admirant son reflet chaque fois qu'elle passe devant un miroir. Après tout, quel mal y a-t-il à rêver ?

Maria est dans le salon à présent ; à genoux, elle frotte les carreaux bleu et blanc de la frise. Sur chaque carreau est représenté un enfant en train de jouer — l'un avec un cerceau, l'autre avec une balle. L'un de ses préférés joue avec un cheval de bois. Ce sont ses enfants imaginaires. La pièce en est remplie. Elle les caresse tendrement avec son chiffon.

Les bruits de la rue lui parviennent à travers les murs : le martèlement des semelles, les voix des passants. Elevée à la campagne, elle ne s'est pas encore habituée à l'agitation qui règne dans Herengracht. Elle a l'impression que la rue toute proche cherche à pénétrer dans son monde secret. Le marchand de fleurs lance soudain son cri, aussi inquiétant que le piaillement du vanneau. Le rétameur rameute le chaland en frappant son écuelle et en criant à tue-tête comme pour appeler les pêcheurs au repentir. Quelqu'un, tout près, se racle la gorge et crache.

Soudain, elle l'entend.

— Poisson, poisson frais ! chante Willem d'une voix discordante. Gardons, brèmes, harengs, morue ! crie-t-il en agitant sa cloche.

17

Aussi vive qu'une bergère, Maria reconnaîtrait entre mille le tintement de sa cloche parmi le troupeau des passants.

Elle se lève d'un bond, se mouche dans son tablier, puis, après avoir remis un peu d'ordre dans sa tenue, ouvre la porte. Dehors, le brouillard est si épais qu'on distingue à peine le canal qui borde la chaussée. Willem surgit hors de la brume.

— Bonjour, ma toute belle.

Son visage se fend d'un large sourire.

— Fais donc voir ce que tu apportes de beau, dit-elle.

— Qu'est-ce qui te ferait plaisir, Maria, mon canard ? s'enquiert-il en calant sa bourriche sur sa hanche.

— Une belle anguille bien grasse.

— Et comment l'aimes-tu ?

— Tu sais très bien comment, dit-elle en riant.

— Avec des abricots et du vinaigre doux ?

— Mmm.

Elle soupire.

Au bout de la rue, des hommes sur une barge sont en train de décharger des barriques. Les tonneaux roulent sur la chaussée avec un bruit sourd, *boum-boum*, semblable aux battements de son cœur.

— A moins que tu ne préfères un hareng ? suggère-t-il. Ou un baiser ?

Il monte les marches pour se rapprocher de sa bien-aimée. *Boum-boum.*

— Chut !

Elle se recule. Des gens passent. Willem baisse la tête, l'air penaud. Il n'est pas très beau avec son visage long comme un jour sans pain et ses traits sans finesse. Pourtant elle le trouve irrésistible quand il sourit. Willem est un homme adorable, et

18

tellement innocent qu'en sa compagnie elle a l'impression d'être un puits de sagesse. C'est dire s'il est candide !

Willem, quant à lui, n'arrive pas à croire qu'une fille comme elle puisse l'aimer.

— Je suis passé hier. Pourquoi ne m'as-tu pas ouvert ?

— J'étais avec le marchand de légumes qui me montrait ses carottes.

— Tu dis ça pour rire, hein !

— J'étais au marché, le rassure-t-elle en souriant. C'est toi que j'aime. Je suis comme une moule enfermée dans sa coquille. Tu es le seul à pouvoir m'ouvrir.

Elle se recule pour le laisser entrer. Il pose son panier à terre et la prend dans ses bras.

— Pouah ! Tes doigts !

Elle l'entraîne dans le *voorhuis*, puis ils longent le couloir et dégringolent les marches qui mènent à l'office. Il lui pince les fesses tandis qu'ils s'élancent vers l'évier.

Elle actionne la pompe. L'eau jaillit du robinet. Il tend les mains, aussi docile qu'un enfant. Après les lui avoir frottées vigoureusement, elle les renifle. Il se presse contre elle, glisse un genou entre ses jambes — elle manque presque défaillir — puis l'embrasse.

— Nous n'avons pas beaucoup de temps, murmure-t-elle. Mes maîtres sont là.

Elle l'entraîne vers le lit, dans l'alcôve. Ils culbutent par-dessus le cadre de bois et se laissent tomber en riant sur la paillasse. Comme il fait bon ici ! C'est le lit le plus douillet de toute la maison. Quand celle-ci leur appartiendra, ils continueront de dormir ici, car c'est ici qu'est le nid de Maria, le centre de son existence.

Il lui chuchote des mots tendres à l'oreille. Elle le chatouille. Il glapit. Elle le fait taire, puis, lui saisissant la main, la guide entre ses jambes ; il n'y a pas de temps à perdre. Ils rient comme des enfants, car lorsqu'ils étaient enfants ils dormaient dans le même lit que leurs frères et sœurs, blottis les uns contre les autres.

— Bien, voyons ce que tu nous as apporté, susurre-t-elle. Rien de bien intéressant, on dirait.

Au loin, quelqu'un gratte à la porte.

Maria repousse Willem et se relève d'un bond.

Quelques instants plus tard, rouge et haletante, elle ouvre la porte d'entrée.

Un homme, pas très grand, cheveux bruns bouclés et yeux bleus, coiffé d'un béret de velours, se tient sur le seuil.

— Je suis attendu, dit-il. Je viens faire un portrait.

3

SOPHIA

*La poire, quand elle est mûre, tombe
dans la main tendue.*

Jacob Cats, *Emblèmes moraux*, 1632

— Poscrai-je mon autre main comme ceci, sur ma
hanche ?

Cornelis se tient tourné de trois quarts, le torse
bombé, une main posée sur sa canne. Il porte son
habit de brocart et son couvre-chef noir en forme de
tuyau de poêle. Il a peigné sa barbe et enduit de cire
ses moustaches relevées en pointe. Pour l'occasion,
il a mis une fraise d'un blanc de neige profond. Sa
tête semble détachée du reste de son corps et comme
posée sur un plateau. Il a du mal à dissimuler son
enthousiasme.

— Vous connaissez le proverbe ? « Endiguez la
rivière, l'eau s'empressera d'aller jaillir ailleurs. »
Nous avons beau avoir chaulé de blanc les murs de
nos églises et en avoir banni les images religieuses
— je prie mon épouse de bien vouloir m'excuser, car
elle est catholique —, l'Eglise réformée a eu beau
retirer sa protection à nos peintres, leur talent est

21

allé éclore ailleurs ; et c'est tant mieux, car ils peignent notre vie quotidienne avec une luminosité et un souci du détail qui, n'y voyez aucun blasphème, confine au transcendantal.

L'œil du peintre croise le mien. Il sourit en haussant les sourcils. Quelle effronterie ! Je détourne les yeux.

— Madame, je vous prie, ne bougez pas la tête ! ordonne-t-il.

Nous sommes dans la bibliothèque de mon époux. Le rideau a été tiré et la lumière du soleil entre à flots dans la pièce. Elle se répand sur le cabinet de curiosités : fossiles, figurines, une coquille de nautile montée sur un socle d'argent. Sur la table recouverte d'un tapis turc ont été disposés un globe terrestre, une balance et un crâne humain. Le globe symbolise la profession de mon époux, qui est commerçant. Il possède un entrepôt sur le port. Il importe du grain de la Baltique, des épices d'Orient, et expédie de pleins vaisseaux d'étoffes vers des pays lointains, situés très au-delà de mon petit horizon. Il n'est pas peu fier d'étaler ses richesses, ce qui ne l'empêche pas d'être un bon calviniste que le caractère éphémère des biens terrestres a rendu humble ; d'où la balance, servant à peser nos péchés lors du Jugement dernier ; d'où le crâne humain. « Vanité, vanité, tout est vanité. » Il voulait poser sa main sur le crâne mais le peintre l'en a dissuadé.

Cornelis pérore. Du coin de l'œil, je vois sa barbe jaune qui monte et descend au-dessus de son col de dentelle. Je prie intérieurement le ciel pour qu'il se taise.

— J'ai eu la bonne fortune de réussir en affaires et d'atteindre ainsi la prospérité et une position sociale élevée, dit-il en s'éclaircissant la voix. J'ai eu surtout

22

la chance de posséder un bijou à côté duquel le rubis perd son éclat ; je veux parler de ma chère Sophia. Car il n'y a pour l'homme plus grand bonheur ou consolation qu'un foyer heureux où il peut rentrer le soir, après une rude journée de labeur, et s'asseoir au coin du feu pour goûter la paix et le réconfort que procurent les attentions d'une épouse aimante.

Rictus du peintre qui réprime son hilarité. Debout à côté de son chevalet, il regarde à nouveau dans ma direction. Je sens ses yeux sur moi. Je hais cet homme.

Mais le pire est à venir.

— Mon seul regret, à ce jour, est de n'avoir pas encore entendu le gai babil d'un enfant, mais j'espère que mon souhait sera bientôt exaucé, dit mon époux en riant. Car j'ai beau avoir perdu une partie de mon feuillage, ma sève n'en continue pas moins de monter.

Comment ose-t-il parler ainsi ? Le regard du peintre rencontre le mien. Il sourit. Ses dents sont d'un blanc éclatant. Il me dévisage avec insistance. Soudain ma robe disparaît, j'ai l'impression d'être nue devant lui.

Je voudrais mourir. Je me sens rougir de la tête aux pieds. Pourquoi faut-il que nous fassions faire notre portrait ? Comment Cornelis peut-il tenir ce genre de propos en ma présence ? Sans doute est-ce l'excitation de se faire peindre. Mais comment peut-il nous tourner ainsi en ridicule ?

Derrière son chevalet, le peintre continue de m'observer. Ses yeux bleus pénètrent mon âme. Il est petit et svelte avec d'épais cheveux noirs. Sa tête est légèrement inclinée de côté. Je soutiens son regard sans faiblir. En définitive, ce n'est pas moi qu'il regarde ainsi, mais la composition qu'il est en

23

train de peindre. Il essuie son pinceau et fronce les sourcils. Je ne suis qu'un objet : cheveux châtains, col de dentelle blanche, robe de soie bleue moirée.

Cette pensée m'irrite. Ne suis-je donc à ses yeux qu'un vulgaire morceau de viande ? Mon cœur s'emballe dans ma poitrine. La tête me tourne. Je suis confuse. Que m'arrive-t-il ?

— Allons-nous devoir poser encore longtemps ? demandé-je sèchement.

— Vous êtes déjà fatiguée ? s'enquiert le peintre, qui s'approche de moi et me tend un mouchoir. Vous ne vous sentez pas bien ?

— Je vais très bien, merci.

— Vous avez reniflé toute la matinée.

— Ce n'est qu'un rhume.

Dédaignant son mouchoir, je sors le mien et m'essuie le nez par petites touches délicates. Il se rapproche. Il sent l'huile de lin et le tabac.

— Vous n'êtes pas à votre aise, n'est-ce pas ?

— Que voulez-vous dire ?

— Je veux dire que vous n'aimez pas rester debout, dit-il en tirant une chaise. Tenez, asseyez-vous. Voyons, si je mets ceci ici... et ceci là...

Avec des gestes rapides il replace les objets différemment. Il pose le globe terrestre d'un côté puis se recule pour inspecter sa composition. Il travaille avec une extrême concentration. Son pourpoint brun est taché de peinture.

C'est alors qu'il s'agenouille devant moi et relève le bas de ma robe, révélant la pointe de mon soulier. Il ôte son béret et se gratte la tête. J'observe ses cheveux bouclés. Il s'accroupit, regarde mon pied puis, tendant le bras, le prend dans sa main. Il le déplace légèrement vers la droite, le pose sur la chaufferette et ajuste les plis de ma robe.

— Une femme telle que vous mérite d'être contentée, murmure-t-il.

Il regagne sa place derrière le chevalet. Trois séances de pose seront nécessaires, après quoi le peintre emportera la toile chez lui pour la terminer. Mon mari recommence à pérorer, il lui parle d'un homme de sa connaissance, un ami du bourgmestre, dont le vaisseau, coulé par les Espagnols, s'est abîmé en mer avec, dans ses cales, une fortune colossale. La voix de Cornelis résonne, puissante. Je reste immobile. Mes seins se tendent sous ma chemise de batiste ; mes cuisses s'embrasent sous mon jupon. Je sens les pulsations de mon cœur jusque dans ma gorge, et même jusque dans le lobe de mes oreilles. Mon corps tout entier palpite, mais c'est parce que j'ai la fièvre. C'est pour cela que j'ai mal et que je me sens à la fois lourde et légère comme une plume.

Le peintre s'affaire. Ses yeux ne cessent d'aller et venir entre moi et la toile. J'ai l'impression de sentir son pinceau sur ma chair...

Je suis au lit avec mes sœurs. Je garde les paupières fermées car je sais qu'il est là, qu'il me regarde. Sa langue rouge passe brièvement entre ses dents. Si j'ouvre les yeux, je verrai le loup, assis sur ses pattes de derrière, à côté de mon lit. Mon cœur se serre dans ma poitrine. Je marmonne une prière : « Je vous salue Marie, Mère de Dieu... » Je sens son haleine chaude et carnassière sur mon visage. Mes mains sont posées sur mes seins naissants. Je marmonne de plus en plus vite en l'invitant à se rapprocher.

4

MARIA

Le travail m'appelle mais l'Amour ne me
laisse pas de répit.
Je n'ai plus goût à l'ouvrage ;
Mes pensées sont nourries par l'Amour,
l'Amour seul nourrit mes pensées,
J'ai beau essayer de le repousser, je suis
impuissant.
Tout ce que je fais je le fais contre ma
propre volonté
Parce que toi, Amour impitoyable, me
tiens en ton Pouvoir !

J.H. Krul, 1644

— Je l'aime. Quand il me touche j'ai des frissons dans tout le corps, et quand il me regarde je me sens fondre intérieurement, confie Maria, adossée à l'armoire à linge, tout en fermant les yeux. Je suis tellement heureuse que j'ai l'impression que mon cœur va éclater. Oh, madame, je l'aimerai jusqu'à la fin des temps, et nous aurons six enfants. Car figurez-vous que ce matin j'ai mangé une pomme en pensant à lui. Quand j'ai recraché les pépins il y en avait six.

Maria serre les draps contre son cœur. Elle n'avait pas l'intention de se confier ainsi, mais les mots ont jailli malgré elle. Elle n'a personne d'autre à qui parler ; sa maîtresse est sa seule confidente. Maria ne connaît en effet personne à Amsterdam, hormis les commerçants et son amoureux, son tendre Willem dont les doigts empestent le poisson.

— Je l'aime à mourir.

Sophia ne répond pas. Elle lui prend les draps des mains et les range dans l'armoire. Le chat vient se frotter contre ses jambes. N'obtenant aucune réaction, il fait le gros dos et s'approche de Maria pour se frotter contre elle. Il va de l'une à l'autre, dans l'espoir de recevoir une caresse, mais toutes deux sont perdues dans leurs rêves.

Brusquement les deux femmes éternuent. Maria éclate de rire, mais Sophia ne semble même pas s'en être aperçue. Cela contrarie sa servante qui s'attendait à des questions pressantes de sa part. « *Qui est-ce ? Comment l'as-tu rencontré ? Ses intentions sont-elles honorables ?* » (Oui.)

Dehors, le jour décline. Sophia referme l'armoire. Elle ressemble à une poupée dans sa robe de soie bleue, avec son crucifix en or autour du cou. Elle a mauvaise mine. Elle est malade, mais refuse obstinément d'aller se coucher. Maria la trouve très jolie, d'une beauté raffinée. A côté d'elle, elle se sent lourde et sans grâce. Aujourd'hui sa maîtresse ressemble à un bibelot de porcelaine.

Maria n'est pas d'une nature curieuse, et d'ailleurs elle est trop absorbée par son propre bonheur pour poser des questions. Elle ne sait pas grand-chose de sa maîtresse, hormis qu'elles ont le même âge — vingt-quatre ans — et que le père de Sophia était imprimeur à Utrecht, où il est mort en laissant des dettes et plusieurs filles. C'est la raison pour laquelle Sophia a épousé ce vieux barbon de Cornelis, car c'est une femme raisonnable. N'est-il pas du devoir de chacun de survivre ? Mais pour cela il y a un prix à payer. Cette nation est une nation de marchands, la plus prospère que le monde ait jamais connue, c'est pourquoi une transaction a été effectuée entre sa maîtresse et son maître. La jeunesse contre la richesse ; la fertilité — supposée — en échange d'une vie confortable à l'abri du besoin. Pour Maria, il s'agit là d'un arrangement sensé, car, bien qu'encline à la rêverie et à la superstition, elle n'en a pas moins les pieds sur terre.

Il n'empêche qu'elle est contrariée. Elle lui a ouvert son cœur, et tout ça pour quoi ? Le silence. Les bras chargés de draps, elle entre dans la chambre d'un pas pesant. Sa maîtresse la suit et l'aide à faire le lit. Elle l'aide souvent aux soins du ménage. Avisant trois chandelles allumées sur le coffre de chêne, Maria s'empresse d'aller souffler l'une d'elles.

— Pourquoi fais-tu cela ? demande Sophia.

Maria frissonne.

— Trois bougies, ne savez-vous pas que c'est signe de mort ? répond-elle sèchement.

5

CORNELIS

*De la pose des femmes et des jeunes filles :
chez les dames et les demoiselles on évitera
les poses obligeant à lever les jambes ou à
les écarter exagérément, cela risquant d'être
interprété comme de l'effronterie et plus
généralement comme un manque de
pudeur, alors que les jambes serrées l'une
contre l'autre sont signe de modestie.*

Léonard de Vinci, *Carnets*

— Encore du poisson ? ronchonne Cornelis en inspectant le plat. Nous avons mangé du poisson toute la semaine. Et la semaine passée également, si j'ai bonne mémoire. Des nageoires vont bientôt nous pousser ! ajoute-t-il en riant de son trait d'esprit. Notre pays était jadis presque entièrement submergé par la mer, auriez-vous l'intention de nous faire retourner dans cet élément ?

— Monsieur, dit la servante, je croyais que vous étiez friand de poisson. C'est une brème aux pruneaux, votre préférée, accommodée par votre épouse.

Il se tourne vers Sophia.

— Que diriez-vous d'une pièce de porc pour changer ? Allez donc faire un tour chez le boucher demain, avant que nous ne nous transformions en habitants des fonds marins.

Maria émet un petit reniflement — amusé ou méprisant, il ne saurait dire —, puis s'en retourne à la cuisine. Quelle impertinence ! Décidément, depuis que Karel, leur homme de peine, les a quittés, il y a du relâchement. Cornelis devra en toucher deux mots à sa femme.

Sophia ne mange pas. Elle contemple son verre de vin en silence avant de déclarer brusquement :

— Je ne veux pas que le peintre revienne à la maison.

— Que dites-vous ?

— Je ne veux plus le voir ici. Je n'ai pas envie qu'il fasse mon portrait.

Il la regarde sans comprendre.

— Et pourquoi cela ?

— Je vous en prie !

— Mais pour quelle raison ?

— Il est dangereux.

— Dangereux ?

— Il... il flatte notre vanité.

— Ah, je vois. Et qu'en est-il, ma chère, quand le tailleur vient vous rendre visite ?

— Ce n'est pas la même chose.

— Toutes ces heures passées devant la glace, à faire des essayages ? dit-il en se penchant vers elle et en lui caressant affectueusement le poignet. Et je m'en félicite, ma douce amie, car mon vieux cœur se réjouit à la vue de votre beauté, une beauté que je souhaite immortaliser sur la toile. Comprenez-vous ?

Elle tortille nerveusement le bord de la nappe entre ses doigts.

— Mais cela vous coûte si cher. Quatre-vingts florins ! s'exclame-t-elle.

— Ne puis-je dépenser mon argent comme bon me semble ?

— Quatre-vingts florins, cela représente des mois de salaire pour... disons... un menuisier... un marin !

— En quoi cela vous concerne-t-il ?

S'ensuit un autre silence. Puis elle reprend :

— Je ne l'aime pas.

— Personnellement, je ne le trouve pas déplaisant.

Elle lève les yeux, les joues en feu.

— Et moi, je le trouve effronté.

— S'il vous déplaît à ce point... eh bien, je lui paierai son dû et j'en chercherai un autre, répond aimablement Cornelis. Il y a bien Nicholaes Eliasz ou Thomas de Keyser, mais ils sont très demandés et il nous faudra être patients. Je pourrais même engager Rembrandt van Rijn, bien que ses honoraires risquent de nous mettre sur la paille. Tout ce qui vous fera plaisir, ma très chère.

Rassuré, il commence à manger. Les femmes sont décidément des créatures bien étranges et compliquées, comparées aux hommes. Elles ressemblent à ces boîtes à secrets qu'il faut retourner en tous sens avant qu'elles n'acceptent de s'ouvrir.

Cornelis aime son épouse à la folie. Parfois, quand il la regarde à la lueur de la chandelle, il la trouve si belle que son cœur s'arrête de battre. Elle est sa joie, son espoir, son entrain. Un miracle vivant : elle l'a ramené à la vie alors qu'il ne croyait plus en rien. Elle est sa planche de salut.

Après dîner, Cornelis ajoute une brique de tourbe dans l'âtre, puis s'installe dans son fauteuil et allume sa pipe. « Il n'y a pour l'homme plus grand bonheur qu'un foyer heureux où il peut goûter les attentions d'une épouse aimante. » Cependant, Sophia n'est pas à ses côtés. Il l'entend qui marche au premier ; le plancher craque sous ses pas. Elle avait la migraine et s'est retirée de bonne heure. D'ordinaire, le soir, elle lui tient compagnie. Elle fait de la couture et parfois ils jouent aux cartes. Ce soir, elle était agitée comme une jument qui sent venir l'orage. Cet accès de mauvaise humeur à l'égard du peintre est tout à fait inhabituel.

Cornelis craint qu'elle ne tombe malade. Il l'a trouvée pâle au dîner. Serait-ce que ses sœurs lui manquent ? Il est vrai qu'elle n'a guère de connaissances, ici, à Amsterdam, hormis les épouses de ses amis à lui qui sont de vieilles dames. Elle manque de distractions. Au début de leur mariage, Sophia était une jeune femme débordante de vie et de gaieté, et puis, les mois passant, elle est devenue taciturne. Serait-ce les responsabilités du ménage qui pèsent trop lourdement sur ses épaules ? Il faut qu'il songe à employer d'autres domestiques. Son épouse ne doit pas se sentir prisonnière ici, comme le chardonneret qu'il gardait en cage quand il était enfant.

Cornelis éteint sa pipe et se lève. Ses rhumatismes le font souffrir. L'hiver a été long. Le brouillard pèse sur la ville comme un couvercle. Il sent le poids des ans sur ses épaules.

Après avoir verrouillé la porte, il souffle toutes les chandelles, à l'exception d'une seule, qu'il emporte avec lui à l'étage. Une odeur de poisson cuit flotte dans la maison. Hier, une baleine s'est échouée sur la plage près de Beverwijk. Une bête énorme. De mémoire d'homme, on n'en avait jamais vu d'aussi grosse. Les villageois étaient en émoi. Il s'agit selon eux d'un mauvais présage, d'un signe de désastre imminent ; ce monstre a été vomi par l'océan pour les punir de leurs péchés.

Mais, aux yeux de Cornelis, ce ne sont là que sottes superstitions. La tragédie n'est pas annoncée par les caprices de la nature ; elle frappe au hasard. Nul miroir brisé n'a causé la mort de sa première épouse, sa chère Hendrijke, fauchée dans la fleur de l'âge. Aucune configuration astrale n'a entraîné la disparition prématurée de ses deux enfants.

Car Cornelis a déjà perdu une famille. Et, comme tous ceux qui ont perdu des êtres chers, il sait que le monde est absurde, même s'il fait mine de croire, et s'efforce de se convaincre, que c'est la volonté de Dieu. C'est pourquoi il s'acquitte de ses obligations religieuses. Chaque soir, il lit un extrait de la Bible à Sophia, puis ils prient ensemble. Le dimanche, il se rend au temple tandis qu'elle va entendre une messe célébrée en secret, son culte n'étant toléré que dans la mesure où il est pratiqué dans la discrétion. Cependant, quand Cornelis prie, il a l'impression d'ânonner des paroles vides de sens. Dans le monde auquel il appartient, il n'existe pas de mots pour exprimer le doute. Et d'ailleurs, il ne l'a jamais exprimé clairement. Tout ce qu'il sait, c'est que la mort, loin de raffermir sa foi, n'a fait que l'affaiblir, et que le seul réconfort tangible pour lui en ce bas monde se trouve ici même, dans son lit douillet.

Lorsqu'il entre dans la chambre, alors qu'il la croyait couchée, Sophia est à genoux, en train de prier. Elle sursaute légèrement en le voyant, puis se signe et grimpe dans le lit où elle demeure immobile, les yeux fixés sur la poutre à laquelle sa couronne de mariée est suspendue comme un nid de guêpes.

Au fond du lit, il l'entend qui soupire et s'agite. Il se dégage d'elle un parfum de jeunesse. Une bouffée de désir réchauffe soudain le sang tiède qui coule paresseusement dans ses veines. Il se déshabille, soulage sa vessie dans le pot de chambre avant d'enfiler sa chemise de nuit. Ce lit est son dernier espoir ; chaque nuit, les bras jeunes et fermes de son épouse l'empêchent de sombrer.

Roulée en boule, la tête enfouie dans les oreillers, Sophia fait semblant de dormir. Il éteint la chandelle. Une fois allongé, il glisse une main sous la chemise de sa femme et commence à lui caresser les seins. Ses doigts pétrissent doucement un mamelon.

— Mon épouse adorée, murmure-t-il tout en guidant la main de Sophia vers son membre rabougri. Mon petit soldat est endormi ce soir. Il est temps de le réveiller pour qu'il prenne son service.

Elle crispe les doigts. Il les lui ouvre et les place autour de son sexe, puis imprime à sa main un mouvement de va-et-vient.

— L'heure de la bataille a sonné...

Son membre se raidit, sa respiration se fait rauque.

— Garde-à-vous ! chuchote-t-il.

Une petite plaisanterie entre sa femme et lui. Il lui entrouvre les jambes et se met en position. Elle tressaille brièvement lorsqu'il la pénètre. Il enfouit son visage dans ses cheveux et passe ses deux mains sous ses fesses en la serrant contre lui. Les ressorts du lit se mettent à grincer en cadence. Sa respiration s'accélère.

Les minutes passent. Se sentant faiblir, il repense à un incident de son passé, un épisode qui ne manque jamais de l'exciter. Il est enfant, à Anvers, et la servante, Grietje, vient lui dire bonsoir. Brusquement, il soulève sa jupe et glisse une main entre ses cuisses. Il sent les poils drus et le sexe humide de la jeune femme sous ses doigts. Elle presse alors son index contre ce qui ressemble à une bille cachée dans les plis de la chair et l'oblige à la caresser dans un mouvement ascendant et descendant, de plus en plus vite... Soudain les cuisses de la servante se resserrent comme un étau, emprisonnant sa main, et elle se met à gémir. Après quoi elle se dégage en riant et lui donne une petite tape avant de s'enfuir.

Il n'avait que dix ans, à l'époque, et il avait eu très peur. Il se sentait honteux, écœuré. Ses doigts poisseux exhalaient une vague odeur de saumure et de melon pourri. Mais, lorsqu'il y repense aujourd'hui, la magie opère. Sa vilenie le fait rougir. Ah, comme c'était excitant !

— Oui... ça vient... feu ! souffle-t-il en répandant sa semence dans le ventre de son épouse.

Dans un ultime spasme, il la serre entre ses bras. Ses jambes grêles de vieillard tressaillent. Puis il se laisse retomber, épuisé, son cœur cognant à se rompre dans sa poitrine.

— Merci, mon Dieu, dit-il dans un halètement.

Sophia reste immobile à côté de lui. Cornelis croit l'entendre parler, mais il ne comprend pas ce qu'elle dit car les battements de son cœur résonnent jusque dans ses oreilles.

— Que dites-vous, ma chère ?

— J'ai changé d'avis, dit-elle en se détournant de lui et en enfouissant son visage dans l'oreiller. Je reviens sur ce que je vous ai dit au dîner. Je ne veux pas d'un autre peintre. Je veux bien qu'il revienne à la maison.

6

MARIA

L'eau dérobée est douce au palais et le pain mangé en secret est délicieux.

Jacob Cats, *Emblèmes moraux*, 1632

En bas, à l'office, dans son lit douillet, Maria dort à poings fermés. Avant de se coucher, elle a retourné ses souliers face contre terre pour éloigner les mauvais esprits. Dehors, le canal répand son haleine glacée.

Le brouillard s'est levé. La lune sort de derrière un nuage et illumine les maisons bourgeoises qui bordent le Herengracht. Ce sont des maisons de riches, construites pour durer. Leurs pignons dentelés se dressent fièrement vers le ciel, leurs fenêtres scintillent au clair de lune. A leur pied serpente le canal. La brise ride la surface de l'eau qui se froisse comme du satin. Au loin un chien aboie, puis un autre, comme s'ils avaient voulu donner l'alerte, signaler l'approche de la guerre.

Le vigile fait sa ronde de nuit. Il sonne sa corne et annonce l'heure, mais Maria dort profondément. Elle rêve que la maison se remplit d'eau et que son

maître et sa maîtresse, prisonniers de leur lit à baldaquin, partent à la dérive. La mer monte et submerge
la ville, mais Maria s'est transformée en poisson et
nage tranquillement d'une pièce à l'autre. Regardez !
Je peux respirer sous l'eau ! La voilà libre alors que
tous les autres se noient, à l'exception de ses propres
enfants qui, tel un banc de poissons, nagent à sa
suite dans la maison pavée de marbre.

Maria sourit ; la voilà devenue maîtresse d'un
palais englouti. D'autres ont péri afin qu'elle puisse
vivre, chose qui, dans le monde des rêves, semble
parfaitement légitime.

7

CORNELIS

> *Si le poète prétend pouvoir embraser*
> *l'âme d'amour, ce qui est le but ultime de*
> *toute espèce vivante, le peintre possède lui*
> *aussi ce pouvoir à un degré plus élevé*
> *encore, car il est à même de placer sous les*
> *yeux de l'amant la réplique exacte des traits*
> *de l'être cher, au point que celui-là va jus-*
> *qu'à baiser le portrait et à lui parler.*
>
> Léonard de Vinci, *Carnets*

Deux semaines se sont écoulées depuis la première séance de pose ; Cornelis est en effet un
homme très pris. Chaque matin, il se rend sur le
port où il possède un entrepôt et, à midi, heure d'ou-
verture du marché des valeurs, il se hâte de gagner la
Bourse. La vénérable institution fermant ses portes à
deux heures, les transactions sont menées tambour
battant dans une atmosphère enfiévrée. Riche marchand et éminent citoyen, notre homme doit en
outre s'acquitter des devoirs civiques que lui confère
sa qualité de notable. Nous sommes en 1636, et les
affaires marchent rondement dans cette ville pros-

père. Le siège du gouvernement se trouve à La Haye, mais Amsterdam est la véritable capitale de la République ; le commerce et les arts y sont florissants. Les riches bourgeois, hommes et femmes, y rivalisent d'élégance. La ville est un vaste entrelacs de miroirs dans lesquels se reflète le pâle soleil de printemps. Des nuages aux nuances cuivrées flottent, immobiles, sous ses ponts. La ville tout entière se mire dans les eaux de ses canaux comme une femme se regarde dans une glace. Mais comment ne pas excuser la vanité chez une aussi jolie personne ?

Les tableaux représentant le spectacle de la vie quotidienne sont légion : femme jouant du virginal sous l'œil admiratif d'un galant ; jeune et beau soldat portant une coupe à ses lèvres tandis que son visage se reflète en vignette dans une carafe à bouchon d'argent ; servante remettant une lettre à sa maîtresse... Ces instants d'intimité semblent avoir été figés dans la glace. En admirant ces toiles, les générations futures ne manqueront pas de s'interroger sur ce qu'il est advenu ensuite. Que dit la lettre ? La dame est-elle éprise ? Jettera-t-elle la missive ou lui obéira-t-elle, attendant le moment propice pour gagner la sortie en se faufilant à travers les pièces inondées de soleil que l'on aperçoit à l'arrière-plan ?

Bien malin qui pourrait le dire, tant le visage de la jeune femme est serein, et ses secrets soigneusement gardés au fond de son cœur. Debout à la fenêtre, capturée dans cet instant de vérité, elle n'a pas encore pris de décision.

Sophia se tient elle aussi près d'une fenêtre. Elle n'a pas entendu approcher Cornelis. Au travers des carreaux teintés, on aperçoit un oiseau dans le feuillage. La jeune femme ne peut pas le voir, car le soleil qui pénètre à flots dans la pièce inonde son visage de lumière. Elle est parfaitement immobile.

En la découvrant ainsi, Cornelis croit voir un tableau. Il est soudain saisi d'une sensation étrange. Son épouse a disparu, son âme s'est évaporée, et il ne reste d'elle que son enveloppe charnelle dans sa robe bleue.

— Ma bien-aimée... murmure-t-il.

Elle sursaute et se retourne d'un bond.

— Ne m'avez-vous point entendu frapper ? Maître Van Loos est en bas, qui nous attend.

La main de Sophia s'envole aussitôt vers ses cheveux.

— Vraiment ?

Cornelis a placé un vase de tulipes sur la table, en insistant pour qu'elles soient représentées sur le tableau car il aime passionnément ces fleurs aux pétales blancs striés de rose.

— J'ai dû y mettre le prix, explique-t-il. Ce sont des *Tulipa clusiana*, cultivées en serre afin de fleurir prématurément pour notre plus grand plaisir. Elles proviennent du jardin de Francisco Gomes da Costa, un Juif portugais. Comment s'étonner qu'un poète les ait comparées aux joues de la chaste Suzanne ? ajoute-t-il en s'éclaircissant la voix. Ne semblent-elles pas nous dire que la beauté est éphémère et que ce qui est beau doit finir par se faner ?

— Raison de plus pour la saisir pendant qu'il en est encore temps, dit le peintre.

Il y a un silence. Sophia s'agite sur son siège.

— Je doute que vous trouviez ce précepte dans les Saintes Ecritures, répond Cornelis en s'éclaircissant de nouveau la voix.

Les peintres sont bien connus pour leur impiété et leur effronterie.

— De toute façon, j'ai trouvé mon paradis sur terre, dit-il en se penchant tendrement vers son épouse pour lui caresser la joue.

— Ne bougez pas ! ordonne sèchement le peintre. Reprenez la pose, je vous prie.

Confus, Cornelis remet la main sur sa hanche. Il se laisse par moments emporter par son enthousiasme et oublie qu'il est en train de poser. Poser n'est d'ailleurs pas une tâche de tout repos. A force de rester ainsi sans bouger, il finit par avoir mal au dos.

Debout derrière son chevalet, Jan Van Loos peint en silence. Dans la pièce voisine, on entend le frottement du balai de Maria.

— N'est-ce pas étonnant, cette folie qui s'est emparée de nous ? demande Cornelis.

— Quelle folie ? demande le peintre.

— Quoi ? Vous n'avez point encore cédé à la passion ?

Le peintre s'interrompt dans sa tâche.

— Tout dépend de la passion à laquelle vous faites allusion.

— Je parle de la spéculation sur les bulbes de tulipes.

— Ah ! Les bulbes ! fait l'artiste en souriant.

Sophia recommence à s'agiter nerveusement. Décidément, songe Cornelis, ce peintre n'a pas l'esprit très vif.

— Jusque-là je pensais que nous étions un peuple austère, dit-il. Mais depuis deux ans la nation tout entière semble avoir cédé à la folie.

— C'est ce qu'on raconte, en effet.

— L'engouement n'épargne aucune corporation : jardiniers, mariniers, bouchers, boulangers. A quand les peintres ?

— Avec moi ça ne risque pas de se produire, répond l'artiste. Je n'entends rien aux affaires.

— Ah ! mais eux non plus. Des fortunes colossales se sont faites puis défaites. Les nouvelles variétés de tulipes obtenues par croisement atteignent des prix astronomiques. Elles peuvent rapporter des milliers de florins si l'on sait quand acheter et quand vendre.

La voix de Cornelis monte sous l'effet de l'enthousiasme ; la fièvre de la tulipe lui a beaucoup rapporté.

— Tenez, reprend-il, prenez le cas de la *Semper Augustus*, la plus belle, la plus chère de toutes : la semaine dernière, un seul bulbe s'est échangé contre six chevaux, trois muids de vin, douze moutons, deux douzaines de gobelets d'argent et une marine signée Esaias Van de Velde !

Le peintre hausse un sourcil incrédule, puis reprend sa besogne. Un pétale de tulipe tombe sur la table, comme un jupon qu'on jette au loin. *Friiish... friiish... friiish*, fait le balai de Maria, accompagné de la voix de la servante qui fredonne, imperturbable.

Il règne dans la pièce une torpeur proche de la somnolence. Cornelis se sent soudain très seul ; il a l'impression de se trouver dans un coche dont tous les autres passagers se seraient endormis. Pourquoi sa femme ne réagit-elle pas ?

— Naturellement, c'est une espèce qui n'est pas de chez nous. Elle provient de Turquie. Quand j'étais jeune, la tulipe n'était connue que des *cognoscenti*, les aristocrates et les horticulteurs. Mais nous sommes un peuple jardinier et qui ne manque pas de ressources. Cultivé dans notre terre fertile, l'humble bulbe a donné naissance à des variétés encore plus riches et encore plus extraordinaires. Comment s'étonner dès lors que les gens perdent la tête ? Même fanée, la tulipe est sublime. Vos pairs l'ont immortalisée sur la toile : les frères Bosschaert, Jan Davidsz de Heem. Des œuvres d'un réalisme étonnant et qui, contrairement aux fleurs qui leur servent de modèles, resteront intactes pour les générations futures.

— Je vous en prie, ayez l'obligeance de vous taire, dit Jan. J'essaie de peindre votre bouche.

Sophia émet un petit reniflement qui ressemble à un rire. Elle s'arrête aussitôt.

Cornelis sent brusquement le feu lui monter aux joues comme s'il venait de recevoir une gifle. N'y a-t-il donc plus aucun sens du respect ? Il a décidément encore fort à faire pour éduquer sa jeune épouse. Parfois, il a l'impression que son esprit vagabonde. Elle est si jeune. Une ravissante créature à la tête pleine de sottises. Il se prend soudain à regretter sa première femme, Hendrijke. Comme elle était raisonnable et dévouée ! Jamais elle n'a mis ses sens en émoi et jamais il n'a éprouvé pour elle le désir qu'il éprouve pour Sophia, mais elle était pour lui une véritable compagne. Sophia est lunatique ; un instant affectionnée, et l'instant d'après distraite et frivole. Ces derniers jours, elle se comporte d'ailleurs de façon étrange.

Le visage de Cornelis prend soudain une expression lugubre. Il bombe le torse tandis que ses doigts se resserrent sur sa canne. Il éprouve à l'égard du peintre des sentiments mitigés. Sophia elle-même ne l'avait-elle pas mis en garde ? Trop tard. A présent, le pas est franchi et il leur faudra aller jusqu'au bout.

8

LE TABLEAU

> *Combien de tableaux ont préservé*
> *l'image d'une divine beauté qui, dans sa*
> *manifestation naturelle, a rapidement suc-*
> *combé aux outrages du temps et de la mort !*
> *Par conséquent, l'œuvre du peintre est plus*
> *noble que celle de la nature, sa maîtresse.*
>
> Léonard de Vinci

Jan Van Loos ne peint pas la bouche du vieil homme mais les lèvres de Sophia. Il mélange le rose et l'ocre, le gris et le carmin, avant d'appliquer amoureusement la couleur sur la toile. Sophia l'observe. Un instant plus tôt, tandis que le vieil homme pérorait, il a vu les lèvres de la jeune femme se retrousser en un sourire complice. Il est en train de peindre le fantôme de cette complicité à présent disparue.

La maison est plongée dans un profond silence. Le tableau, une fois achevé, représentera une scène des plus paisibles. En bas, à l'office, Maria s'est endormie. La nuit dernière, Willem s'est faufilé dans son lit et n'en est ressorti qu'au petit jour. Profitant de son sommeil, le chat s'empare d'un carrelet, puis s'éloigne sans bruit. Son petit larcin passe totalement inaperçu.

À l'étage, un autre larcin est en train d'être commis. Cornelis somnole, lui aussi. Le soleil pénètre à flots par la fenêtre de la bibliothèque. Il y a, dans cette pièce, une cheminée en pierre de taille soutenue par des cariatides. Le soleil caresse leurs seins nus. Les fossiles attendent, comme ils le font depuis des siècles.

Une demi-heure s'est écoulée. Le peintre n'a presque rien ajouté à sa toile. Il observe Sophia. Derrière elle, au mur, est accrochée une Descente de croix. Un tableau italien exécuté à la manière du Caravage. La lumière éclaire le torse nu du Christ. Ce n'est pas un Christ du Nord, pâle et passif, mais un homme en chair et en os, avec des épaules larges, des veines et des muscles saillants. Il a été torturé avant d'être mis à mort. Son corps renversé tête en bas remplit toute la toile et donne l'impression qu'il va glisser sur le couple qui pose en dessous.

Sous le Christ se tient le vieil homme, le patriarche, sur ses jambes grêles. A le voir ainsi, le torse bombé, la tête reposant mollement sur son col de dentelle, le spectateur a du mal à croire qu'il est un élu de Dieu. Sa jeune et belle épouse est assise à ses côtés, des perles scintillant dans ses cheveux modestement tirés en arrière. Un vague sourire passe sur ses lèvres. Mais pour qui sourit-elle ? Le peintre ou le spectateur ? Et d'ailleurs s'agit-il vraiment d'un sourire ?

Cornelis continue de pontifier mais personne ne l'écoute. Sophia et le peintre se dévisagent avec gravité. Un autre pétale tombe sur la table, révélant la tige ferme du pistil.

45

Jan se remet à peindre. Sur la toile, la tulipe effeuillée retrouvera sa somptueuse corolle. Et quand, des siècles plus tard, les visiteurs du Rijksmuseum admireront cette toile, qu'y verront-ils ? La sérénité, l'harmonie. Un couple marié qui, bien que vivant dans l'aisance, a compris que la vie n'est qu'un court passage, ce qu'illustre la présence de la balance et du crâne humain. Sans doute le vieil homme parlait-il au moment où la toile a été peinte, mais pour l'instant il se tait. Personne ne l'écoutait alors, et aujourd'hui personne ne peut l'entendre.

Sa jeune épouse est très belle. Elle pose sur le spectateur un regard plein de candeur et d'amour. Ses joues ont gardé leur fraîcheur bien qu'elle soit morte depuis longtemps. Seule la peinture demeure.

9

SOPHIA

Dans le salon, j'ai vu le perroquet vert dans sa cage.
Derrière ses barreaux, il devisait avec éloquence...
Aussi joyeux dans sa prison que dans la maison de jeunes mariés...
Si tu veux faire de moi ton esclave, j'accepte de bon cœur.
Prends ma main dans la tienne et passe-moi la bague au doigt.

Van der Minnen, 1694

Ma servante et moi longeons la rue des Couteliers. Il fait beau et le vent souffle en bourrasques. A la devanture des échoppes, les lames brillent au soleil, semblables à des soldats au garde-à-vous. « Mon petit soldat est endormi ce soir... » Je ferme les yeux en crispant les paupières.

— Avez-vous jamais joué à la main chaude ? me demande Maria.

J'écarquille les yeux.

— Qu'est-ce que c'est ?

— Un garçon choisit une fille et enfouit sa tête entre ses jambes. Les autres lui frappent les fesses à tour de rôle et il doit deviner à qui appartient la main qui le frappe, explique Maria en riant. Et plus ils frappent, plus sa tête s'enfonce entre les cuisses de la demoiselle.

Il a plu cette nuit. Les rues semblent avoir été lavées à grande eau. Au-dessus de nos têtes, une servante secoue un chiffon. Nous nous rendons au marché. En longeant la rue des Pâtissiers, l'odeur délicieuse nous fait soupirer. Un passant nous salue d'un sourire goguenard.

— Vous le connaissez ? demande Maria.

— Non, et toi ?

— Frappez-lui les fesses, vous verrez bien s'il vous reconnaît !

Nous rions. Parfois, quand nous nous promenons ainsi ensemble, j'ai l'impression d'être avec ma sœur. Je me sens délivrée de cette immense demeure qu'aucun feu, si joyeux soit-il, ne saurait réchauffer.

« Si tu veux faire de moi ton esclave, j'accepte de bon cœur. » La ruine de ma famille a coupé court à mon enfance. Mes rêves de jeune fille se sont envolés, impitoyablement chassés par l'indigence. Certes, j'éprouve une certaine affection et de la reconnaissance pour Cornelis et, même s'il me coûte de l'avouer, j'étais bien contente de l'épouser pour pouvoir échapper à ma misérable condition. Cependant, j'ai parfois le sentiment d'avoir échangé une prison contre une autre.

Nous sommes en mars, le printemps est revenu. Nous passons sous un gros marronnier. Ses bourgeons poisseux se sont fendus, laissant apercevoir des pousses vert tendre. A leur vue, mon cœur se serre. Nous approchons de la grand-place. D'abord

48

timides et lointaines comme un murmure, les rumeurs du marché s'enflent peu à peu avant de se transformer en un brouhaha mêlant les cris des marchands au fracas des carrioles. Je retrouve d'un seul coup ma bonne humeur.

Un infirme passe prestement à côté de nous en sautillant sur ses béquilles. Il nous sourit en se léchant les babines. Maria éclate de rire.

— Eh, Patte en bois ! C'est-y que t'aurais pas dîné hier au soir ?

— Maria ! dis-je en l'entraînant au loin.

Elle rit de plus belle, indifférente à mes remontrances. Aujourd'hui, je la trouve particulièrement effrontée. Son corset délacé dévoile largement le galbe de sa poitrine parsemée de taches de rousseur. Je devrais la réprimander, lui citer le proverbe sur la luxure : « Qui pèle l'oignon versera des larmes. » Mais au fond de moi je l'envie, ô combien, d'être libre et jeune. Je me sens si vieille à côté d'elle.

Parfois, j'ai l'impression de ne pas savoir me faire obéir. Tantôt je me confie à elle, tantôt je prends mes distances et tente d'imposer mon autorité. Maria, qui n'est pas dupe, tire avantage de la situation.

Je manque de confiance en moi. Ces derniers temps, je suis plutôt d'humeur changeante. La semaine prochaine, c'est décidé, Maria et moi allons nettoyer la maison à fond. Je vais engager une deuxième servante pour nous aider. Nous allons frotter et astiquer jusqu'à l'épuisement. Ainsi, je vais punir mon corps et chasser mes mauvaises pensées.

Nous voilà sur la place. Je me sens à nouveau gaie comme un pinson. Mon cœur déborde d'amour à la vue des mouettes qui tourbillonnent dans le ciel et des femmes qui palpent les fruits sur les étals. Un chien avance en se traînant sur son arrière-train. Ses yeux semblent dire : « Regardez-moi », comme s'il avait exécuté un numéro comique en mon honneur. J'exulte en entendant les cris des marchands ambulants et des charlatans qui vantent leurs produits.

Il est frais, mon chou, il est frais !... Elle est belle, ma carotte !... Eau de cannelle toute fraîche ! Liqueur d'anis pour les maux d'estomac, satisfait ou remboursé !... Chapons, chapons frais, deux pour le prix d'un, dépêchez-vous tant qu'il en reste !

Un garçon joue au *kolf*. Il se faufile entre les jupes des femmes, s'esquive, frappe la balle avec sa canne.

Le soleil disparaît derrière un nuage. Je me sens soudain prise de dégoût à la vue du chien. L'animal n'est pas en train d'exécuter un numéro comique : il a des vers. La cloche du beffroi se met en branle, m'invitant au repentir. Et pourtant personne ne se retourne pour me dévisager. L'imposante bâtisse des Poids et Mesures se dresse vers le ciel, aussi menaçante qu'une lame de fond.

— Madame ! s'écrie Maria en me poussant du coude alors que nous arrivons devant l'étal du marchand de légumes. Combien faut-il de navets ?

Le marchand, un gros homme à la face cramoisie, a un œil crevé qu'il ne cesse de cligner sous l'effet d'un tic nerveux. J'ai beau le connaître, j'ai l'impression qu'il a découvert mon secret et qu'il se moque de moi. Brusquement, je me sens nue, aussi dépouillée que le fameux oignon qui provoque les larmes. La foule autour de nous peut-elle lire dans mon cœur ?

Maria tend son seau à l'homme, qui y jette les navets. Je fouille dans ma bourse.

C'est alors que je l'aperçois. Mon cœur fait un bond dans ma poitrine. Jan Van Loos, le peintre, vêtu d'une cape verte et d'un béret noir, se fraie un chemin dans ma direction tout en soutenant mon regard. Il s'arrête pour laisser passer un homme qui fait rouler un tonneau. Autour de nous, le bruit se dissipe lentement, comme une vague qui retourne à la mer. Nous échangeons un salut poli. Je songe d'abord que sa présence ici est une coïncidence.

Mais je sais qu'il n'en est rien. Il est venu pour me voir, pour me traquer. Il s'arrête devant l'étal d'un volailler et me dévisage entre les bêtes plumées, suspendues tête en bas, les pattes recroquevillées. L'homme désigne ma servante d'un haussement de sourcils.

— Je vais chez l'apothicaire acheter du tabac à priser, dis-je à Maria en lui tendant ma bourse. Tu termineras les emplettes.

— Mais, Madame, comment voulez-vous acheter du tabac à priser si vous n'avez pas d'argent ?

— Ah oui.

Je cherche maladroitement quelques pièces pour Maria : mes doigts sont en plomb, ils refusent de m'obéir. Je lui tends les florins puis m'esquive en serrant ma bourse contre ma poitrine comme pour me protéger.

Je prends en hâte une rue transversale. Un homme poussant une carcasse de bœuf sur une brouette me barre la route. Je me plaque contre le mur pour le laisser passer. La graisse jaune s'impose à mon regard, dégageant une odeur âcre. Derrière moi j'entends résonner des pas. J'attends, le cœur battant. Soudain il est tout près de moi.

— Il fallait que je vous voie, dit Jan hors d'haleine. Depuis hier, tandis que vous posiez pour moi... je suis complètement bouleversé.

— Je vous en prie, allez-vous-en.

— Vous ne voulez pas que je m'en aille.

— Si, allez-vous-en !

51

— Dites-moi que vous ne le voulez pas, insiste-t-il, cloué sur place, haletant. Ne me dites pas que vous voulez retourner dans ce mausolée ?

— Comment osez-vous parler ainsi ?

— Je n'arrive plus à dormir, je n'arrive plus à peindre. Votre visage me hante jour et nuit.

— Je vous en prie...

— Dites-moi qu'il en va de même pour vous...

— Mais je suis une femme mariée et j'aime mon époux.

Mes paroles restent suspendues en l'air. Nous nous dévisageons un instant, le cœur battant. Au-dessus de nos têtes, quelqu'un ferme une fenêtre. Des relents d'égout emplissent la ruelle.

— Vous avez volé mon cœur, dit-il enfin en prenant ma main.

Il l'examine comme s'il s'agissait d'un objet extraordinaire, puis la pose sur sa joue.

— Je ne peux vivre sans vous, poursuit-il en pressant mes doigts contre ses lèvres.

Je me dégage d'un geste vif.

— Vous n'avez pas le droit de parler ainsi. Je dois partir.

— Non, je vous en prie.

Je m'arrête et demande :

— Quand a lieu la prochaine séance de pose ?

— La semaine prochaine.

Je m'enfuis en courant. J'ai les joues en feu, et mes oreilles bourdonnent. Arrivée au bout de la ruelle, je me retourne en priant de tout mon cœur pour qu'il soit encore là.

La ruelle est vide. Entre les maisons, les draps qui sèchent sur les cordes à linge claquent au vent comme s'ils voulaient attirer l'attention des passants. « Alerte, alerte ! Il faut faire quelque chose avant qu'il ne soit trop tard. »

10

JAN

> *Quelle perte pour l'art qu'une main aussi
> habile n'ait utilisé à de meilleures fins la
> force naturelle qui l'habitait.*
> *Fut-il jamais surpassé dans l'art de la
> peinture ?*
> *Hélas ! Plus le talent est grand et plus les
> aberrations sont nombreuses*
> *Quand celui-ci ne se soumet à aucun
> principe ni à aucune règle,*
> *Croyant tout connaître de lui-même.*

Andries Pels à propos de Rembrandt, 1681

De retour dans son atelier, Jan se laisse choir sur
une chaise. Le sol est jonché de coquilles de noix, il
y a même un vieil os de poulet gris de poussière.
Mais il n'en a cure, il ne pense qu'à l'amour.

Dieu sait s'il en a connu des femmes, pucelles
écervelées, épouses insouciantes ! Pour un homme
qui consacre sa vie à la beauté, il s'est montré peu
exigeant. Il n'y a pas de laiderons, il n'y a que du
mauvais vin. Et, bien sûr, étant d'un tempérament
passionné, il les a toutes aimées, chacune à sa
manière. Il leur a susurré des paroles effrontées, et

leurs corps ont répondu à ses caresses. Mais ensuite il avait hâte qu'elles s'en aillent. Et si elles insistaient pour rester malgré tout, il attendait qu'elles se soient endormies, puis se faufilait sans bruit hors du lit et se remettait au travail.

Il a pour habitude de travailler la nuit, quand la cité dort. Dans le silence, ses toiles se livrent sans retenue à son pinceau pour qu'il leur donne vie. Pour bien voir, il doit s'éclairer à la bougie, fort coûteuse, au risque d'éveiller la belle endormie. La présence d'une femme l'empêche de se concentrer. Tantôt elle lui chuchote : « Reviens dans le lit », tantôt elle se reproche d'avoir cédé au péché ou, pire encore, elle le supplie de faire d'elle une honnête femme. Ah, si seulement la gent féminine n'était pas irrésistible ! Il est tellement plus simple d'aspirer la chair de l'huître puis d'en jeter au loin la coquille.

Parfois, il lui arrive de travailler jusqu'à l'aube. A la lumière du jour, ses toiles lui semblent impudiques et leurs couleurs trop crues. Il va devoir faire des retouches. La femme qui a partagé son lit est partie à présent, non sans regret. Seule sa vraie maîtresse demeure, l'œil hagard et grossièrement barbouillée, mais s'abandonnant tout entière à son pinceau.

Contrairement à son habitude, Jan n'a pas envie de peindre. Il se lève et commence à faire les cent pas. Sophia Sandvoort était-elle sincère lorsqu'elle l'a repoussé ? Peut-être a-t-il commis une grossière erreur. Cependant il est trop tard. Il n'a pas pu résister à l'envie de la revoir.

Lors de leur première rencontre, il n'a rien éprouvé de plus que de la concupiscence. Sophia n'était pour lui qu'un défi, qui ne lui semblait pas insurmontable. Les femmes mariées à des vieillards

54

cèdent presque toujours à ses avances. Elles ne sont guère plus que des marchandises, des balles de lin, soumises à leur époux sans y être réellement attachées. Pour elles, un jeune peintre est l'occasion d'une escapade amoureuse et, à condition d'y mettre les formes, elles finissent toujours par céder, au risque d'aller ensuite rôtir en enfer.

Mais hier, pendant la deuxième séance de pose, une chose inattendue s'est produite. Tandis que le vieillard pérorait à qui mieux mieux — «... les tulipes... de Heem... » (Dieu, que ces bourgeois sont présomptueux !) — elle demeurait assise, immobile et chaste comme une madone. Soudainement, ils ont échangé un regard d'une intensité inouïe. Le visage de la jeune femme exprimait la joie, l'exaspération, et quelque chose de plus profond qui lui a transpercé le cœur.

Jamais jusqu'ici il n'avait avoué ses sentiments à une femme. A présent, le voilà bouleversé. Sophia a dénoué les cordes qui lui ceignaient le cœur et a fait de lui son esclave. On éprouve une certaine volupté à se soumettre ainsi aux chaînes de l'amour. C'est une sensation nouvelle. En revenant chez lui, il a croisé un joueur de fifre. La musique lui a rempli les yeux de larmes. Que faire à présent ? Plût au ciel qu'elle tombe amoureuse de lui !

Quelqu'un frappe à la porte. Le sang de Jan se glace dans ses veines. Sophia ! Non. Ce doit être son époux. Elle lui a raconté l'incident de ce matin et il est venu, escorté par dix membres de la Garde civique, pour lui tordre le cou.

Jan ouvre la porte. Ce n'est que son ami Mattheus. Celui-ci entre en s'écriant gaiement :

— Fichtre, mais c'est une vraie porcherie, ici !

— Gerrit a disparu.

55

— Ce sac à vin ? Tu ferais mieux de le chasser une fois pour toutes et de trouver un autre domestique.

— A condition de le retrouver. Il n'est jamais là.

Mattheus s'assoit sur une chaise.

— Je t'ai amené le petit dont je t'avais parlé.

Un garçon au teint pâle et aux longs cheveux filasse entre dans la pièce.

— Il s'appelle Jacob.

Jan reprend peu à peu ses esprits. Il avait complètement oublié que son nouvel apprenti devait commencer aujourd'hui. Mattheus, qui a déjà trois élèves et ne peut en accueillir davantage, a tout arrangé. C'est un homme généreux et un bon vivant. Il gagne bien sa vie en peignant des scènes de tavernes et de bordels. Ses clients trouvent ses toiles amusantes, et toutes contiennent un enseignement moral qui leur confère un côté édifiant. Il déborde d'énergie et travaille sans relâche.

Jan va chercher des verres, qu'il essuie avec un vieux chiffon à peinture. Pendant ce temps, Mattheus choisit plusieurs toiles qu'il adosse au mur pour les montrer à l'apprenti.

— Regarde cette touche, mon garçon, vois comme elle est raffinée. Admire ces nuages, ce feuillage. Regarde le chatoiement de cette robe, quelle perfection ! On a envie de la toucher. Cet homme est capable de reproduire n'importe quoi. A condition d'y mettre le prix, bien entendu, précise-t-il en riant.

— Tu peux parler, s'insurge Jan.

Mattheus avale une gorgée d'eau-de-vie puis, montrant Jan du doigt, déclare :

— Mon vieil ami ici présent connaît la première règle d'or de la peinture.

— Et quelle est-elle ? demande le garçon.

— La flatterie. Elle t'ouvrira toutes les portes.

— Vraiment ? s'étonne Jan.

— Il te suffira de parer ces nigauds prétentieux de beaux atours, explique Mattheus en désignant l'ébauche du visage de Sophia. Tiens, prends cette femme, par exemple. Regarde sa figure. Je parie que dans la vie elle est laide comme un rat.

— Tu te trompes ! s'écrie Jan.

— Peuh ! Tu ne me feras jamais croire qu'elle est aussi belle, insiste l'autre.

— Elle est encore plus belle !

Mattheus ricane.

— Tu dis ça parce que tu voudrais bien glisser ta main sous sa *rok*. C'est une autre technique dont ton maître te parlera, ajoute-t-il en se tournant vers l'apprenti.

— Tiens ta langue, dit Jan. Tu parles à un enfant.

Mattheus allume sa pipe et recrache une bouffée de fumée.

— Mon cher ami, tu es un excellent peintre et tu sauras enseigner toutes les ficelles du métier à ce garçon. A l'exception d'une seule : le talent. Toi, tu en es bourré, dit-il en pointant sa pipe vers Jan. Tu arriveras toujours à t'en sortir, vieux veinard.

Il saisit un pinceau et demande au jeune homme :

— Sais-tu ce que c'est ?

— Un pinceau, répond le gamin.

— Non, c'est une brosse à ôter la peinture.

— Reprends encore un peu d'eau-de-vie, propose Jan.

— Notre ami Rembrandt, ici présent, me comprend. Plus il charge son pinceau, plus il s'éloigne de la vérité. Tu me suis ?

Le garçon hoche la tête, l'air ahuri.

— La souffrance, l'humanité... Il faut être courageux, mon ami, et ne pas avoir peur de souffrir, ajoute Mattheus en se tournant vers Jan. C'est à travers la douleur que nous découvrons la beauté du monde. Si je te dis ça, c'est parce que je suis moi-même le dernier des poltrons, un amuseur public et rien d'autre. Mais, que veux-tu, on ne se refait pas.

Après avoir embrassé Jan sur les deux joues, Mattheus vide son verre, ébouriffe les cheveux du garçon, puis sort.

— N'êtes-vous pas en colère de l'entendre parler ainsi ? demande alors le garçon.

— En colère ? répète Jan en secouant vigoureusement la tête. Nullement. S'il parle ainsi, c'est parce qu'il est mon ami.

Mais, dans son for intérieur, Jan se sent profondément troublé et humilié.

Feignant l'indifférence, il étire ses jambes et se renverse sur sa chaise. Il contemple le plafond, les poutres pleines de toiles d'araignée. A côté de la fenêtre, il a suspendu un drap blanc qui renvoie la lumière. Sophia se tient là, une main posée sur la crémone. Elle ouvre tout grand la fenêtre et inspire profondément l'air du matin. Puis elle se tourne vers lui, referme la fenêtre et sourit.

— Donne-moi une feuille de papier, demande Jan au garçon.

— Vous allez me donner une leçon de dessin ?

— Non, je vais écrire une lettre.

11

MARIA

*La servante doit garder un œil sur le pot
et l'autre sur le chat.*

Johan de Brune, 1660

Assise au coin du feu, Maria est en train de plumer un canard. Tête pendante, l'oiseau qu'elle tient serré entre ses cuisses semble inspecter le sol de la cuisine à la recherche de miettes de pain. Mais il est mort, et voilà notre servante soudain prise d'une irrésistible envie de pleurer. Ah, si seulement il pouvait revenir à la vie ! Ces derniers temps, c'est plus fort qu'elle, elle ne supporte pas de voir souffrir un animal. Et pourtant, Dieu sait si elle en a plumé, des canards, quand elle vivait à la campagne ! C'est son amour pour Willem qui la rend ainsi vulnérable et morose. « Qui pèle l'oignon versera des larmes », disait sa grand-mère. Elle comprend maintenant de quoi celle-ci voulait parler.

Sa grand-mère connaissait une foule de dictons populaires. Maria la revoit penchée au-dessus de la baratte, les manches retroussées, actionnant vigoureusement la batte à beurre en la faisant tourner dans un sens puis dans l'autre. « Il faut battre la crème pour faire sortir le beurre, disait-elle. L'effort est toujours récompensé. » Plus tard, quand Maria a grandi, sa grand-mère lui a expliqué que la crème était l'esprit et le petit-lait le plaisir de la chair. Mais, jusqu'ici, Maria n'avait pas compris le sens profond de ses paroles.

Le chat guette le canard, la queue frétillante. Maria est superstitieuse : si le chat se gratte, Willem frappera à la porte. Le chat a des puces ; il ne va pas tarder à se gratter.

Un coup résonne soudain à la porte. Maria se lève d'un bond, jette le canard sur la table et s'empresse d'aller ouvrir.

Elle tire le loquet. C'est un jeune garçon. Il lui remet une enveloppe.

— C'est un pli pour la maîtresse de maison, dit-il.

Maria, déçue, prend la lettre et monte la porter à sa maîtresse. En revenant du marché, ce matin, cette dernière a eu un malaise et s'est enfermée dans sa chambre.

Pendant ce temps, à la cuisine, le chat saute sur la table et plante ses griffes dans la chair du canard.

12

La Lettre

*Ton épouse : une vigne fructueuse au fort
de ta maison. Tes fils : des plants d'olivier
à l'entour de la table. Voilà de quels biens
sera béni l'homme qui craint le Seigneur.*

Psaume 128

Debout à la fenêtre, Sophia lit la lettre. Son visage
est inondé de lumière. Ses cheveux tirés en arrière
sont parsemés de perles minuscules qui scintillent à
la clarté comme pour se gausser de la sévérité de sa
coiffure. Elle porte un corset noir, brodé de velours
et d'argent, et une robe de soie violette dont les plis
moirés accrochent les rayons du soleil.

Derrière elle, une tapisserie et divers tableaux sont
suspendus à une tringle de bois. Les rideaux verts
du lit ont été tirés et révèlent une opulente courte-
pointe. La chambre est baignée d'une douce lumière
dorée.

Sophia se tient parfaitement immobile, comme
suspendue entre le passé et le présent. Elle est la
couleur qui attend d'être mélangée, la toile qui
attend d'être peinte, une scène qui attend d'être

61

immortalisée sous un vernis brillant. Est-ce le moment de prendre une décision ? Va-t-elle déchirer la lettre ou s'esquiver à pas de velours hors de la maison silencieuse ? De profil, son visage ne trahit pas ses sentiments.

Dehors, la rue est animée. Deux régents dans un fiacre traversent le pont dans un bruit de ferraille. Ils hochent la tête, absorbés par leur conversation. Un tonneau est hissé hors d'un entrepôt au moyen d'un treuil, puis roulé à bord d'une péniche. Peint à l'arrière-plan, personne ne saura jamais ce qu'il contient. Un groupe de mennonites tourne au coin de la rue, tel un vol de corbeaux ; des enfants les dépassent en poussant des cris.

Au-dehors, le monde est en effervescence. Dans la maison, un cœur s'arrête de battre. La lettre dit :

Il est trop tard. Vous le savez tout comme moi. Il faut que je vous voie, ma bien-aimée. Rendez-vous dans mon atelier demain à quatre heures.

13

Jan

Si tu veux me faire pleurer tu devras en premier lieu éprouver toi-même du chagrin.

Horace, *Ars Poetica*

Le sablier est vide. Jan le retourne pour la seconde fois. Il est cinq heures. Elle ne viendra pas.

Faut-il qu'il ait été sot pour croire qu'elle accepterait !

Gerrit a balayé le plancher et mis un peu d'ordre dans l'atelier. Ce matin, son serviteur est revenu, honteux et la face cramoisie par sa tournée des tavernes. Mais Jan est trop amoureux pour songer à le réprimander. Le remords rend toujours Gerrit tatillon : il s'est donné la peine de nettoyer le rebord des fenêtres, à sa façon. La table a été mise pour deux : viande fumée, fromage, vin et tartes à la frangipane que Jan est allé acheter lui-même ce matin. Il a donné ordre à Gerrit de rester à la cuisine et renvoyé l'apprenti chez lui.

Sophia ne viendra pas. Pourquoi risquerait-elle sa réputation pour lui, qui n'a rien d'autre à lui offrir que son amour ?

Un mince filet de sable s'écoule dans le col étroit du sablier. Une bosse minuscule commence à se former au fond du vase et grossit lentement sous ses yeux. Il vient à peine de rencontrer Sophia, et pourtant il a l'impression de la connaître depuis toujours. Elle s'est lovée au fond de son cœur. Bah, il n'est qu'un imbécile qui se fait des illusions. Dans un sens, il est soulagé qu'elle ne soit pas venue, car ainsi elle échappera au déshonneur. Voilà qu'il se fait du souci pour elle, à présent ! Décidément, il ne se reconnaît plus lui-même.

Au fond du sablier, la bosse continue de grossir. Plus elle grossit, plus son espoir s'amenuise. Dehors, deux ivrognes s'invectivent d'une voix traînante. Jan habite Jordaan, un quartier beaucoup trop mal famé pour une dame de qualité comme Sophia. Il inspecte son atelier en s'efforçant de le regarder avec ses yeux à elle : le drap qui pend mollement au-dessus de la fenêtre ; le plafond et ses toiles d'araignée ; le socle drapé sur lequel il fait poser ses modèles ; les estampes écornées qui ornent les murs ; l'énorme lézarde courant du sol au plafond ; ses moules en plâtre (une main, une jambe) suspendus à des crochets ; et l'odeur entêtante d'huile de lin.

Jan est fils d'artisan. Son père est orfèvre, et ses deux frères sont peintres sur verre. Il est habitué à vivre parmi les outils.

Comment a-t-il pu penser que Sophia allait risquer sa réputation pour quelqu'un comme lui ? Il était tellement sûr de lui qu'il a même fait mettre des draps propres dans le lit !

Le sablier est presque vide à présent. Elle ne viendra pas. Jan s'assied sur le bahut et enfile ses souliers. Il regarde une dernière fois le repas étalé sur la table : les longs verres à col étroit, la corbeille de fruits, les tartelettes saupoudrées de sucre qui, telle une nature morte, ne seront jamais mangées. Ces objets évoquent toutes sortes de possibilités, et un avenir qui désormais n'existera que dans son imagination. Il les regarde avec un œil d'artiste : la nappe blanche, les deux gobelets identiques, l'éclat métallique du couteau et du pichet. Allons, malgré tout, la composition harmonieuse ravit ses sens.

— Gerrit ! Débarrasse la table ! crie-t-il. Je vais à la taverne.

Au même moment, un petit bruit discret lui parvient. Il songe : c'est une branche qui cogne contre la vitre. Il se lève et met sa cape. Ses jambes semblent de plomb, comme s'il venait de traverser un marécage.

Le bruit lui parvient à nouveau. Quelqu'un a frappé.

Jan s'élance vers la porte et l'ouvre.

C'est Sophia.

— Je suis venue, dit-elle.

14

MARIA

*L'amour ne peut être ni vendu ni acheté
— son seul prix est l'amour.*

Jacob Cats, *Emblèmes moraux*, 1632

Assis côte à côte sur le seuil de la cuisine, Maria
et Willem regardent le soleil disparaître à l'horizon.
La courette est plongée dans l'ombre. A cette
époque de l'année, la lumière n'entre guère dans le
petit jardin entièrement clos de murs. Adossé au
mur, telle une sentinelle, le balai de Maria monte la
garde.

— Tu devrais les enduire de graisse d'oie, dit Willem en lui caressant amoureusement les mains.
Comme ça, tu aurais l'air d'une dame.

— Je ne crois pas que cela suffirait à faire de moi
une dame, répond Maria en riant et en se blottissant
contre lui.

Les marches de pierre lui glacent les fesses, mais
elle n'ose pas l'inviter à entrer car elle n'est pas certaine que sa maîtresse soit sortie. Hier, cette dernière
a reçu une lettre qui l'a bouleversée ; de mauvaises
nouvelles de sa famille, peut-être ? Toujours est-il

qu'aujourd'hui sa maîtresse s'est conduite de façon bien étrange. Par deux fois, elle a enfilé son manteau pour sortir puis, alors qu'elle était sur le seuil, a renoncé. La dernière fois que Maria l'a vue, elle était dans le vestibule, en train d'entortiller nerveusement une mèche de cheveux autour de son doigt.

— Maria, ma douce, je suis venu te demander quelque chose, dit Willem.

— Quoi donc ?

— Je t'aime et tu m'aimes, poursuit Willem en lui passant un bras autour de la taille. Car tu m'aimes, n'est-ce pas ?

— Bien sûr que je t'aime. Tiens, hier encore, en plumant le canard, je me suis mise à pleurer. J'ai des frissons dans tout le corps quand je te vois. C'est pas de l'amour, ça ?

— Dans ce cas, il faut qu'on se marie, toi et moi.

Elle hoche la tête en silence, le cœur débordant de joie. De l'autre côté du mur, perché sur un pommier, un rossignol déverse ses trilles comme des pièces d'or, comme un nectar enivrant. Soudain la tête de Maria se met à lui tourner.

— Oh, pour sûr, mon Willem, mais nous n'avons pas d'argent.

— Attends un peu, tu vas voir, dit-il en se tapotant le nez avec le doigt. J'ai des plans.

— Des plans ?

— Il est encore trop tôt pour que je t'en parle. Mais j'ai l'intention de faire de toi une bourgeoise. Nous aurons une maison à nous et des enfants.

Des enfants. Maria ferme les yeux. Elle en voit six, ils sont toujours six. Elle les imagine déjà, jouant des coudes pour grimper sur ses genoux. Dans ses rêves, ils ressemblent à des poissons, mais brusquement ils deviennent réels et leurs rires se mêlent au chant de l'oiseau.

— Mais où vas-tu trouver l'argent ? demande Maria.

Il prend sa main et la pose sur son cœur.

— Fais-moi confiance, ma toute belle.

Il commence déjà à se comporter en mari ; il a tout organisé. Même sa voix lui semble plus grave.

— Disons que je vais me lancer dans les affaires.

Il lui a demandé sa main ! Maria regarde longuement l'unique parterre de fleurs où des pousses commencent à sortir de terre, mues par une détermination farouche. C'est la promesse du printemps. Elle pose sa tête sur l'épaule de Willem et pense : il n'y a pas dans toute cette ville deux amants plus heureux.

15

SOPHIA

*Celui qui s'aventure dans des eaux
inconnues est sûr de se noyer.*

Jacob Cats, *Emblèmes moraux,* 1632

Jan habite au rez-de-chaussée d'une maison de
Bloemgracht, à une courte distance de chez moi. Il a
insisté pour me raccompagner une partie du chemin,
mais j'ai refusé : il ne faut surtout pas qu'on nous
voie ensemble. Je sors discrètement de son atelier et
me hâte par les rues. Le soleil est en train de sombrer à l'horizon. La ville tout entière s'empourpre,
les maisons sont rouges de honte. Le canal est en
fusion. Ses eaux réfléchies par les murs de brique
font danser les façades. Les fenêtres s'embrasent.

Entre mes cuisses, je sens s'écouler la moiteur de
l'amour. « Une heure seulement ; je ne peux rester
qu'une heure. » Mais quelle heure ! Si je n'en vis pas
d'autre semblable, je m'en souviendrai toute ma vie.

Je traverse le Wester-Markt, tête baissée, et me
faufile comme une voleuse à travers les ruelles
étroites. Ici, le soubassement des maisons a été blan-
chi à la chaux, et l'encadrement des portes et des

fenêtres grossièrement badigeonné. Si seulement je pouvais, moi aussi, cacher ainsi mes imperfections.

— Sophia, ma chère ! Si je m'attendais à vous rencontrer ici !

Je recule d'un pas chancelant. Un peu plus et c'était la collision.

— De quel côté allez-vous ? Quelle robe ravissante, il faut absolument que vous me disiez où vous avez trouvé cette étoffe.

Il s'agit de Mme Mijtins, la femme de notre homme de loi. La voilà qui m'emboîte le pas et se met à trotter à mes côtés.

— Allez-vous me dire votre secret ?

— De quoi voulez-vous parler ? demandé-je sèchement.

— Vous aviez pourtant promis de me le dire.

— Vous dire quoi ?

— Mais le nom de votre couturière, voyons ! La mienne n'est bonne à rien, elle m'a été recommandée par Mme Overvalt, mais c'est à peine si elle sait faire un ourlet. Sans compter que la maudite créature a la morve au nez. Ma parole, mais vous êtes absolument resplendissante ! Le bordeaux vous va à ravir. Quelle étoffe splendide ! Cela fait ressortir l'éclat de votre teint. Ah, si mes filles pouvaient avoir votre beauté ! Diable, mais où courez-vous donc si vite ? Ah, ces jeunes jambes ! Je n'arrive pas à vous suivre...

16

JAN

Les drapés doivent suggérer qu'ils sont habités par des corps, ils devront épouser étroitement les formes de façon à montrer la posture et le mouvement, et éviter la confusion des plis trop nombreux, en particulier sur les parties du corps les plus proéminentes, de façon que celles-ci apparaissent clairement.

Léonard de Vinci, *Carnets*

Peindre est un acte de possession. La même sensualité attentive devra être accordée à chaque objet, si humble soit-il. Animaux, végétaux ou minéraux, tous sont égaux aux yeux de l'artiste qui peindra avec autant d'amour le galbe d'un pichet que le sein d'une femme. L'amour du peintre est impartial.

Pour ce modèle-là, néanmoins, il en va autrement, car celui-ci l'a possédé. Après cette troisième et dernière séance de pose, il emportera la toile dans son atelier pour l'achever. Depuis qu'il a touché le corps qui se cache sous cette robe, depuis qu'il a tenu cette femme nue entre ses bras, Jan est paralysé. Cette

71

épouse qui pose si pudiquement devant lui est sa bien-aimée. Elle a cessé d'être un modèle au teint pâle, vêtu d'une robe bleu de cobalt et d'un mantelet doublé de fourrure. La composition de l'artiste a été bouleversée par l'amour.

Sophia est resplendissante, lumineuse. Est-il possible que son époux, ce vieux sot prétentieux, n'ait pas senti la passion qui unit le peintre et sa jeune femme ?

Cette situation est très troublante. Jan réalise brusquement qu'il se tient immobile, le pinceau à la main, depuis un certain temps déjà.

Cornelis s'en est-il aperçu ? Sur la toile, les apparitions prennent la forme de fantômes, des produits de son imagination qui ressemblent vaguement à de vraies personnes. Ils ont l'air renfrognés, comme s'ils avaient été trahis. A petites touches, son pinceau donne peu à peu vie à Sophia, mais sur la toile elle sera à jamais emprisonnée dans son rôle d'épouse vertueuse, une femme posant humblement au côté de son mari.

Il se sent prisonnier des convenances. C'est la raison pour laquelle il craint de ne pouvoir peindre la vérité que Sophia porte en elle. Cependant, s'il était un grand peintre, il représenterait une femme habitée par la vie, irradiant l'amour. Le spectateur devinerait qu'elle est capable de passion. Il faut pourtant qu'il en soit ainsi, sans quoi cela voudrait dire qu'il a échoué.

Tout en peignant, il entend sa voix : « Je vous ai aimé dès le premier instant où je vous ai vu. »

Comme elle l'a surpris en disant cela, lui qui croyait qu'elle allait se pâmer de honte et de remords.

« Il est trop tard pour les regrets. Je suis venue. Je voulais être avec vous. Plus rien n'a d'importance à présent. »

Ensuite, lorsqu'ils se sont allongés ensemble sur son lit, il était tellement ému qu'au début il n'a pu l'honorer.

— Comment, j'ai ruiné ma réputation pour rien ? a-t-elle murmuré en riant.

— Je n'arrive pas à croire que vous soyez venue, a-t-il répondu.

Elle lui a pris la main.

— Je ne suis qu'une femme. Tenez, touchez... une femme de chair et de sang.

Le monde est chaotique. C'est un fait bien connu des artistes qui s'efforcent néanmoins de lui trouver un sens. Sophia a donné un sens à sa vie. Elle en a cousu tous les morceaux épars pour en faire une cape, la plus belle des capes, et ils se sont enroulés dedans pour se protéger du monde. Personne ne peut les atteindre.

Malheureusement, ils n'ont pu passer qu'une heure ensemble ; la vie de Sophia est ici, au côté de Cornelis. Ah, si seulement le vieillard pouvait mourir !

Le sol de la bibliothèque est pavé de dalles de marbre noires et blanches. Un échiquier à l'échelle humaine. Jan plisse les paupières jusqu'à ce que sa vue se trouble. Il saisit sa reine, Sophia, et la dépose de l'autre côté de son époux. Puis il prend le mari et le jette au loin.

Tandis que Jan range ses affaires, Cornelis se retire dans la pièce voisine. Ils l'entendent s'éloigner ; une porte se ferme au loin.

Sophia accompagne Jan jusqu'à la porte.

— J'ai failli me faire prendre, chuchote-t-elle. En chemin, j'ai croisé une connaissance.

Ils se retournent tous deux d'un bond.

Maria est entrée en courant, le visage baigné de larmes. Elle tient un oiseau à la main.

— Le chat l'a tué. Regardez, c'est le merle qui chantait dans le pommier des voisins.

— Pauvre bête, dit Sophia. Ne pleure pas.

— Vous n'avez pas idée comme il comptait pour moi, sanglote Maria. Et vous savez ce qui arrive quand un merle meurt...

— Allons, cesse ces balivernes ! l'interrompt Sophia en ouvrant la porte à Jan.

— Demain matin, onze heures, lui glisse-t-il à l'oreille.

Il laisse tomber son chiffon. Elle se baisse en même temps que lui pour le ramasser.

— A la passerelle, murmure-t-il avant de lui préciser le nom de la rue.

— Je vais l'enterrer dans le jardin, dit la servante.

17

SOPHIA

La valeur d'une femme se mesure à la façon qu'elle a de tenir sa maison. Car la tortue, qui est partout chez elle, porte sa maison sur son dos en toutes circonstances.

J. Van Beverwijck, 1639

Il pleut à verse. Il n'y a pas un chat dans les rues. Je remonte rapidement la rue des Fromagers en direction du port. Dans les échoppes, les roucs de gouda trônent, énormes, comme des juges en séance.

Et s'il ne venait pas ? S'il ne m'aimait pas suffisamment pour affronter la pluie ? Je me sens terriblement exposée à courir ainsi par les rues désertes. Il est plus sûr de marcher dans la foule. Cependant mon cœur bat d'espoir dans ma poitrine.

Depuis la semaine dernière, la ville est transfigurée. Même s'il ne vient pas aujourd'hui, je sais qu'il existe, qu'il respire le même air que moi et qu'il marche dans ces rues. Chaque maison est chère à mon cœur dès l'instant qu'elle lui est familière. Et pourtant cette ville recèle tant de dangers ! Dans ces venelles étroites, les maisons offrent une vue plongeante sur la voie publique. Et que de fenêtres ! Il y en a à perte de vue, larges au rez-de-chaussée, plus étroites dans les étages ; des rangées de fenêtres indiscrètes, surmontées de lucarnes percées dans le toit. Derrière l'une d'elles — pourquoi est-elle entrouverte ? —, un rideau frémit. Certaines ont leurs volets fermés, d'autres à demi ouverts. Des ombres glissent derrière les carreaux plombés.

Et que de coins et de recoins ! Le danger rôde au détour de chaque ruelle. « Sophia, ma chère ! Si je m'attendais à vous rencontrer ici. » Comme je serais aisément trahie par ceux qui ne me veulent aucun mal !

J'enfile promptement une autre rue. Le vent me cingle la figure. Je me courbe en avant, mais il me repousse, il veut me renvoyer vers Herengracht, vers la maison de mon mari. Nous sommes en mars, pourtant l'hiver est de retour, mes joues sont engourdies de froid. Arrivée au canal, je presse le pas ; l'air marin me pique les narines. Ici, les maisons des marchands sont hautes de six étages et munies de portes surmontées de treuils. Fichés dans les murs, des crochets font saillie au-dessus de ma tête.

Soudain je l'aperçois de l'autre côté du canal. Le pont mobile se dresse devant moi. Jan se hâte dans ma direction et me fait signe. Mon cœur bondit dans ma poitrine. J'étais sûre qu'il viendrait. J'allonge le pas. Un bateau approche. Dans quelques instants, le pont mobile va s'ouvrir et nous séparer, mon bien-aimé et moi. Je m'élance en riant sur la passerelle.

Brusquement, Jan se fige. Pourquoi ? J'hésite un court instant, puis j'aperçois trois hommes vêtus de noir qui sortent d'un entrepôt. L'un d'eux est mon époux. Il s'éloigne du groupe et se dirige vers moi.

— Très chère, mais que faites-vous ici ? Ma parole, vous êtes trempée jusqu'aux os.

Vite, je cherche une excuse. Un peu plus bas dans la rue, j'aperçois les trois couleurs de l'enseigne d'un chirurgien : rouge pour la saignée, bleu pour la barbe, et blanc pour les fractures et les soins dentaires.

— Je suis venue me faire arracher une dent, dis-je. Je souffre atrocement.

— Mais pourquoi ne m'en avez-vous rien dit ? Et pourquoi n'êtes-vous pas allée chez le chirurgien de Prinsengracht ?

— C'est Mme Mijtins qui m'a recommandé celui-là.

— Je vous accompagne. Je vous prie, messieurs, de bien vouloir aller m'attendre dans le bureau, dit Cornelis en se tournant vers ses collègues.

— Non, non, dis-je, je préfère y aller seule.

— Mais...

— Je vous en prie, monsieur. Tout ira bien. Et d'ailleurs, voyez, la pluie s'est arrêtée.

— Mais vous ne pouvez pas rentrer seule à la maison, vous risquez de...

— Maria doit passer me prendre. Je vous en prie, monsieur.

Cornelis caresse un instant sa barbe d'un air dubitatif. Ses collègues commencent à s'impatienter. Cette fois, j'ai eu le dernier mot.

Après avoir déposé un baiser sur ma joue, il s'éloigne. Je prends aussitôt la direction de l'échoppe du chirurgien. Derrière moi, j'entends un bruit de pas.

C'est Jan. Il me prend par le bras et m'entraîne dans une taverne. L'endroit est quasiment désert. Nous choisissons une table. N'étant pas une habituée des brasseries, je ne connais personne ici ; et de toute façon celle-ci est trop loin de chez moi.

— Qu'allons-nous faire ? dis-je. Si je vais chez toi, on nous verra. Tôt ou tard je finirai par me faire prendre.

— Comme tu es belle, murmure Jan en m'essuyant la figure avec son mouchoir. Viens, allons-y quand même.

— Non, c'est trop risqué.

— Dans ce cas, tu n'as qu'à me rejoindre à la nuit tombée.

— On risque de me voir tout pareil.

— Ma bien-aimée, je t'en supplie. Je ne peux vivre sans toi.

Une servante nous apporte des chopes de bière. Dans une cage accrochée au mur, un perroquet fait les cent pas sur son perchoir. Il s'approche des barreaux et, penchant la tête de notre côté, nous observe de son œil rond.

— Et maintenant, je vais devoir faire semblant d'avoir une dent en moins, dis-je.

— Je me ferais arracher toutes les dents pour toi.

— Ah non, alors ! J'ai déjà bien assez d'un vieillard, je n'en veux pas deux.

Nous éclatons de rire. Puis nous nous serrons en grelottant l'un contre l'autre. J'ai osé me moquer de mon époux. Je serai condamnée aux flammes éternelles.

— Comment peux-tu supporter qu'il t'embrasse ? me demande Jan.

— Je t'en prie...

— Qu'il te prenne dans ses bras décharnés ?
poursuit-il.

— Arrête !

Je sais qu'il a raison. L'haleine rance de Cornelis...
Sa chair grise et flasque... Quant aux autres parties
de son corps, je préfère ne pas y songer... Cependant, je demeure silencieuse : ne l'ai-je pas déjà suffisamment trahi comme cela ?

Sous la table, Jan me prend la main.

— Viens me rejoindre ce soir.

Je le regarde longuement, et je me noie dans ses
yeux bleus.

— Quoi, vous n'êtes pas encore prête ? s'étonne
Cornelis. Il est six heures.

— Je ne veux pas y aller.

— Comment ? Vous qui d'ordinaire prenez tant
de plaisir à jouer aux cartes chez les Konick ! La dernière fois, c'est vous qui avez gagné, souvenez-vous.
Et puis ils viennent de recevoir leur nouvelle épi-
nette. Vous leur avez dit, la semaine dernière, que
vous aviez hâte de l'essayer.

— Mais ma dent me fait mal.

— Oh, ma pauvre chérie. Laissez-moi voir...

— Non... dis-je tout en me dérobant.

— Comme vous devez souffrir !

— L'huile de camphre me soulage un peu, mais
je voudrais me coucher de bonne heure.

— Dans ce cas, je vous tiendrai compagnie.

— Non !

— Sans vous à mon côté, sortir ne me procure
aucun plaisir.

— Je préfère rester seule. De toute façon, je ne
serai pas de bonne compagnie ce soir. Vraiment, très

79

cher... Je vais me coucher de bonne heure. Je vous en prie, ce sont vos meilleurs amis. Allez-y, s'il vous plaît.

Cornelis va chercher sa cape, puis se dirige vers la porte. Soudain je m'élance vers lui et me jette à son cou. Surpris, il se retourne. Nos nez s'entrechoquent. Cette maladresse nous fait trébucher.

— Je suis désolée, balbutié-je.

— Désolée ? De me montrer tant d'affection ? s'étonne-t-il en me serrant dans ses bras.

L'espace d'un court instant je suis prise de remords. Si seulement je pouvais tirer un trait sur toute cette affaire et revenir au bon vieux temps où mon époux et moi vivions en paix et en sécurité derrière les murs de cette maison ! Je ne reconnais pas la femme qui s'est glissée dans mon cœur. C'est une intruse, qui mériterait d'être chassée hors d'ici.

— Je ne suis pas digne de vous, murmuré-je.

— Comment pouvez-vous dire une chose pareille ? répond-il en me caressant les cheveux. Vous, mon bonheur, ma vie.

Nous nous embrassons une dernière fois, puis il s'en va.

18

WILLEM

> *Chaque homme est l'architecte de sa propre destinée.*
>
> Jacob Cats, *Emblèmes moraux*, 1632

Le jour décline. Willem prend le chemin de Herengracht. Le vent est tombé. Toute la journée, la tempête a fait rage. Aucun bateau n'a pu sortir en mer. Une autre baleine s'est échouée un peu plus haut sur la côte. Pour lui, qui gagne sa vie en vendant du poisson, c'est un bon présage, car, justement, aujourd'hui l'océan a recraché la plus belle des prises. Dieu est avec lui !

Notre poissonnier marche d'un pas allègre et sautillant. Il ne compte plus les fois où il a emprunté ces rues, ployant sous sa bourriche. Ce soir, il ne sent que le poids de sa bourse dans la poche de son pourpoint. Il a hâte de voir la tête que va faire Maria. Elle ne l'a pas cru, l'autre soir, quand il lui a dit qu'il allait se lancer dans les affaires.

Il est encore sous le choc de l'émotion. Naguère, il traitait les joueurs de *kappisten* d'encapuchonnés, de fous. Mais les temps ont changé, et il s'est laissé gagner par la fièvre de la spéculation.

Spéculer est un jeu d'enfant, en un rien de temps on décuple sa mise. C'est miraculeux ! Il suffit de se rendre dans une taverne enfumée, de griffonner quelques chiffres sur une ardoise, puis de faire circuler des paquets de main en main... Et le tour est joué ! Il a misé au hasard et chaque fois il a gagné. Jusqu'ici, il gagnait sa pitance à grand-peine, chaque sou comptait. Il travaillait comme un damné, se levant à l'aurore pour se rendre à la criée, qu'il neige ou qu'il grêle. Jamais il ne s'est plaint, car cela n'est pas dans ses habitudes. Les doigts gourds, il vidait les poissons glacés de leurs boyaux gluants. Chargé de sa lourde bourriche, il arpentait les rues dans la bise mordante, allant de porte en porte et s'efforçant de sourire malgré ses joues engourdies de froid. Seule la pensée de Maria lui réchauffait le cœur.

Maria ! Oubliées les baleines. C'est elle, la prise de choix ! Elle a beau lui dire qu'elle l'aime, il n'arrive pas à le croire. Il n'a guère d'expérience en amour. Les femmes ne le prennent pas au sérieux. Quelque chose en lui les fait ricaner. Certes, elles se montrent toujours aimables, mais chaque fois qu'il veut leur faire la cour elles lui rient au nez. Elles l'appellent « Face de bouffon » et, quand son visage s'allonge, elles rient de plus belle.

Mais maintenant il a Maria. Maria, pulpeuse et ronde comme un fruit mûr. Ah, la coquine ! « *Le marchand de légumes me montrait ses carottes.* » Les hommes la dévisagent dans la rue, et elle soutient leur regard avec effronterie. Est-elle digne de confiance ? « Bien sûr que je t'aime. J'ai des frissons dans tout le corps quand je te vois. » Cependant, sensée, elle refuse de l'épouser tant qu'il n'aura pas suffisamment d'argent. Mais attendez seulement de voir la tête qu'elle fera quand il lui montrera sa bourse.

Maria ne sait pas qu'il vient ; il va lui faire la surprise. Ce soir, ses maîtres sont de sortie ; elle sera donc seule. Willem s'approche de la porte de service, celle qu'il emprunte à la dérobée, la nuit, pour se faufiler dans le lit de sa bien-aimée.

Soudain il se fige sur place. Une silhouette sort de la maison, puis referme la porte derrière elle et enfile en hâte la venelle. C'est Maria. Elle se glisse comme une ombre entre les murs.

Willem veut l'appeler mais sa gorge se noue. La jeune femme semble si résolue, si décidée. Intrigué, il lui emboîte le pas en gardant ses distances. La voilà qui débouche dans Keisergracht, jette un coup d'œil à droite, puis à gauche. Il la voit mieux à présent. Sous son châle, elle porte sa coiffe blanche dont les deux longs rabats dissimulent son visage.

Elle tourne à droite, se hâtant toujours, frôlant les murs. Elle fuit comme une voleuse ! Elle marche si vite qu'il est obligé de forcer l'allure pour ne pas la perdre de vue. Cela ne lui ressemble guère. Elle qui déambule toujours d'un pas tranquille, en balançant les hanches.

L'espace d'un instant, il ne la voit plus. Elle a tourné à gauche et commence à descendre Berenstraat. Un chien aboie en grattant furieusement derrière une porte close. Où va-t-elle avec tant d'empressement ? Il fait nuit à présent. Evitant les rues principales, elle emprunte les ruelles sombres en filant comme une ombre. Derrière des volets, des hommes rient à gorge déployée. La lumière l'éclaire brièvement lorsqu'elle passe devant une fenêtre. Puis elle disparaît, engloutie par la nuit.

Elle se met à courir. Comme elle est légère ! On dirait qu'elle a des ailes. Willem la suit, haletant, en prenant soin de garder ses distances. De toute façon, jamais elle ne se retourne, elle semble perdue dans ses pensées. Dans les cuisines on s'affaire, un fumet de viande rôtie se mêle aux odeurs d'égout.

C'est l'heure du dîner. Dans les maisons, les gens sont à table. Willem se sent étrangement seul. Il a l'impression que cette silhouette fugitive l'entraîne loin de la vie paisible de la cité. Il n'y a plus qu'elle et lui, emportés par quelque prodigieuse marée. Ses poumons vont éclater, sa bourse bat violemment contre sa cuisse.

Les voilà maintenant dans Bloemgracht. Maria frappe à une porte. Willem se cache derrière un arbre. Il entend un petit éternuement humide, étrangement humain. C'est un jeune chiot qui joue dans la poussière. Ce dernier s'élance sur sa jambe. Willem l'écarte du pied.

La porte s'ouvre. La flamme d'une bougie illumine brièvement Maria, puis elle entre.

Le cœur battant, Willem traverse la rue et s'approche de la fenêtre. La partie inférieure en est fermée par un volet, mais la partie supérieure est éclairée. Willem songe qu'il s'agit peut-être de la maison d'un médecin. Son maître est malade, et Maria est venue chercher de l'aide. Ou bien la servante du logis est une de ses amies et elle est venue reprendre quelque ustensile de ménage qu'elle lui avait prêté.

Mais, dans ce cas, pourquoi son cœur bat-il si fort ? Avisant un banc à côté de la porte, Willem y grimpe et jette un coup d'œil à l'intérieur. Sur le plancher, il aperçoit un chevalet et un fauteuil. La pièce semble vide. Non, il entend un vague bruit de voix. Au même instant, ils entrent dans son champ de vision.

Maria est avec un homme, on ne peut voir son visage car elle tourne le dos à la fenêtre. L'homme rit puis presse son front contre celui de la jeune femme. Ses boucles brunes retombent en cascade sur la coiffe de Maria.

Soudain, avec un geste d'une infinie tendresse, elle prend la tête de l'inconnu entre ses mains et attire son visage contre le sien. Puis, tout en caressant ses cheveux, elle l'embrasse.

Les jambes de Willem flageolent. Il se laisse tomber sur le banc, avant de se relever et de s'éloigner d'un pas chancelant, comme un homme ivre.

19

SOPHIA

Les moules fraîches sont semblables aux
femmes bénies
Qui parlent avec pudeur et vertu
Et prennent soin de leur maison ;
Chaque épouse devrait porter conscien-
cieusement
Le fardeau de sa maison-coquille.

Adriaen Van de Venne, *Tableau de la folie des sens*, 1623

Jan a retourné le sablier pour la deuxième fois. Le temps recommence aussitôt à s'écouler. Dans une heure, je devrai m'en aller. Est-il possible qu'une poignée de sable puisse contenir autant de bonheur ? Le passé de Jan est également contenu dans ce sablier, mais ces deux heures nous appartiennent.

— Si tu étais vraiment un grand peintre...

— Si ? répète Jan avec un petit reniflement de dépit.

— ... Pourrais-tu peindre un sablier de telle sorte que tous ceux qui le verraient comprendraient ce qui s'est passé entre nous ?

Il pose sur moi un regard attendri.

— Connais-tu couple plus heureux ? me demande-t-il.

Nous sommes étendus sur son lit. Jan prend une gorgée de vin puis, se tournant vers moi, entrouvre mes lèvres et y verse délicatement l'enivrante liqueur.

— C'est toi que je veux peindre, maintenant, telle que tu es.

— Non, ne me quitte pas.

Il m'effleure la joue.

— Comment le pourrais-je ?

Les vêtements de Maria gisent à terre. Ils semblent exténués d'avoir joué une mascarade. Ils sont la chrysalide d'où je suis ressortie métamorphosée. Car je suis un papillon qui n'a plus qu'une heure à vivre.

Jan découpe une tranche de jambon. Je regarde les muscles de son dos se contracter sous sa peau.

— Tu aimes le gras ?

J'acquiesce avec avidité. Il fait glisser la tranche de jambon dans ma bouche. Un geste sacrilège, mais ô combien délicieux !

— Je suis en train de commettre un péché mortel, dis-je, la bouche pleine. Crois-tu que Dieu se soit voilé la face ? Qu'il se soit détourné de nous ?

Jan secoue la tête.

— Si Dieu est vraiment un dieu d'amour, bon et généreux, ne se réjouira-t-il pas de nous voir heureux ?

Je mange voracement le jambon.

— Ta foi est comme la glaise. Tu la modèles conformément à tes désirs.

Il verse à nouveau du vin dans ma bouche.

— Dans ce cas, bois son sang et vois s'il te rend meilleure.

— Arrête, c'est indigne ! protesté-je.

Brusquement, la magie est brisée.

— Tu sais ce qui est indigne ? se rebiffe Jan. Tu sais ce qui est péché ? C'est que tu sois enfermée dans ce tombeau au côté d'un homme que tu n'aimes pas...

— Non...

— Il t'a mise en cage ! Il te suce la moelle pour réchauffer ses vieux os...

— Tais-toi, ce n'est pas vrai !

— Il t'a achetée comme on achète un tableau, et toi tu l'as laissé faire.

— Arrête ! Tu ne comprends rien. C'est un homme bon. Tu n'as pas le droit de parler ainsi de lui. C'est lui qui fait vivre ma mère et mes sœurs. Il nous a sauvées de la misère. Sans lui, nous serions...

— C'est bien ce que je disais. Il t'a achetée.

Je me mets à pleurer. Jan me prend dans ses bras et dépose un baiser sur mon visage inondé de larmes. Je ne supporte pas de l'entendre parler ainsi. D'un seul coup notre bonheur est gâché. Et, pendant ce temps, le sable continue de s'écouler.

— Pardonne-moi, murmure-t-il. C'est que je suis jaloux.

— De lui ?

— Non, de ce qu'il possède... Ta beauté sublime, ta présence à son côté...

Je ne peux pas lui dire la vérité. Pas encore. Je ne peux pas lui dire combien l'idée de retourner auprès de mon mari me répugne. Bien que je l'aie trahi, je veux rester loyale envers Cornelis.

— Je ne suis pas vraiment à son côté, dis-je alors. Je n'existe pas quand je suis là-bas. Je ne suis qu'une coquille vide, comme ces vêtements. Je suis invisible.

Mes paroles ressemblent à une trahison, mais trop tard, ce qui est dit est dit.

Jan me regarde sans comprendre. Je montre l'estampe accrochée au mur près des membres de plâtre. Elle représente le Jugement dernier. Assis dans un rai de lumière, Dieu trône au-dessus des corps qui se tordent de douleur.

— Pourrait-on la retourner contre le mur ? murmuré-je.

Jan bondit et l'arrache. Elle tombe à terre. Puis il vient me rejoindre et nous faisons l'amour une dernière fois avant que le sable ne se soit complètement écoulé.

20

WILLEM

Là où le vin entre, l'esprit sort.

Jacob Cats, *Emblèmes moraux*, 1632

Willem erre dans les rues comme une âme en peine. Il fait nuit noire ; la lumière de sa vie s'est éteinte. Il a marché longtemps et le voilà arrivé quelque part du côté de Nieuwendijk. Il sent l'haleine glacée du canal tout proche. Et s'il se jetait à l'eau pour en finir ?

De joyeux éclats de rire lui parviennent soudain d'une taverne voisine. Il y a de la lumière aux fenêtres. Il hésite. Pourquoi ne pas y aller ? Qu'a-t-il à perdre maintenant que son cœur est brisé ?

Il pousse la porte et entre. La taverne est pleine comme un œuf, et il y règne une odeur suffocante de sueur et de tabac. Ici, on trinque et on danse au son du violon. Comme ces gens ont l'air de s'amuser ! Des femmes juchées sur les genoux des hommes se trémoussent gaiement en battant la mesure. Les clients entonnent une chanson paillarde en cognant bruyamment leurs chopes sur les tables.

Lundi matin, j'ai pris épouse
Croyant mener la vie belle.
Mais j'aurais mieux fait de mourir
Plutôt qu'd'épouser la donzelle !

Les bras chargés de chopes de bière écumante, les serveuses se fraient un chemin parmi la joyeuse compagnie. Willem s'assied.

Mardi matin, j'm'en va chercher
De quoi châtier la drôlesse.
Une trique de houx bien vert, mesdames,
J'ai pris pour lui frotter les fesses...

— Eh ben, mon pauvre *gek*, ça n'a pas l'air d'aller fort ?

L'homme qui est assis à côté de lui hausse un sourcil interrogateur. Willem s'essuie le nez avec sa manche. Pleurer à son âge ! Quelle honte !

— Une femme, répond Willem. C'est à cause d'une femme.

Il parle comme un homme d'expérience.

L'autre opine du chef.

— Ah, les femmes ! Toutes des *sletten*.

J'y en met-z-un coup,
J'y en mets deux coups,
Jusqu'à casser mon gourdin...

Son voisin a une bonne tête. Une longue balafre lui fend la joue depuis le menton jusqu'à la paupière, laquelle, à demi fermée, lui donne un air mélancolique de chien battu.

91

Dimanche matin, j'ai déjeuné
Sans cette mégère mal embouchée.
A ma bouteille je suis retourné,
Une de perdue, dix de r'trouvées !

Willem éprouve soudain le besoin de s'épancher auprès de son compagnon de boisson. Il lui dit combien il aime Maria et lui parle de la surprise qu'il était venu lui faire ce soir.

— D'ordinaire je ne suis pas joueur, mais j'ai voulu tenter ma chance. Un ami m'a conseillé d'acheter l'amiral Pottebackers. Cette tulipe va pulvériser les records, qu'il a dit. « Un petit investissement aujourd'hui, mais attends seulement de voir ce qu'elle va te rapporter dans deux mois. » Ce nom d'amiral m'a tout de suite plu. Forcément, j'ai tellement vu de bateaux prendre la mer quand j'étais petit. Et puis j'ai l'âme patriotique. Il y en avait d'autres, des tulipes avec un nom d'amiral, mais celui-là était mon préféré.

— Et alors ?

— Alors quoi ? demande Willem.

— Il t'a rapporté gros ?

Willem hoche la tête en tapotant sa bourse.

— Il m'a coûté un os, ouais. Toute ma bourse y est passée. Dix florins ! Une vraie ruine.

— Et combien contient-elle à présent ?

Les yeux de Willem se remplissent de larmes.

— De quoi prendre une petite échoppe, avec un logis à l'étage. Dire que j'allais lui demander sa main, se lamente-t-il en sanglotant.

— Combien ?

— Soixante-dix-huit florins, voilà combien, répond Willem en se mouchant dans sa manche. Une fortune ! Plus d'argent que je n'en gagne en six mois. Et dire que je n'ai plus personne avec qui le partager...

L'homme lui a fait servir une eau-de-vie. Willem la descend d'un trait ; elle lui brûle la gorge.

— Ah, les femmes ! dit l'autre. Qu'elles aillent se faire lanlaire !

L'homme claque des doigts, et le verre de Willem se remplit à nouveau.

— Bois, mon garçon, et oublie ces garces qui ne pensent qu'à nous embobiner. Tu sais que ça n'est guère prudent de sortir avec une somme pareille ? Heureusement, ici, nous sommes entre gens de bonne compagnie, le patron ne trempe pas son vin et ne roule pas de chiffons au fond des bocks de bière.

Un garçon pauvre j'ai recueilli
A l'hospice de Haarlem.
Ensemble nous sommes partis
Visiter les côtes d'Espagne...

Willem sent que la tête lui tourne ; il n'est pas habitué aux boissons fortes. Soudain, il remarque une fille assise en face de lui. Celle-ci est apparue comme par enchantement.

— Permets-moi de te présenter ma petite sœur Annetje, dit l'homme. Elle a eu le cœur brisé, elle aussi. Pas vrai, ma jolie ?

— Oh, pour ça, oui. J'en ai vu des vertes et des pas mûres, répond la fille en soupirant.

— Ma pauvre petite sœur innocente, la plaint l'homme. Je te présente...

— Willem.

— C'est un joli nom.

La fille n'est pas aussi jolie que Maria. Elle a un petit visage émacié et deux taches écarlates sur les joues. Mais, lorsqu'elle rit, ses yeux pétillent.

— D'où viens-tu, Willem ? demande-t-elle.

Il lui dit le nom de son village.

— C'est un petit village de pêcheurs, tu ne le connais pas, précise-t-il.

— Oh que si ! Je suis née à deux pas, répond la fille tout en contournant la table pour venir se serrer affectueusement contre lui. Toi et moi, on est faits pour s'entendre. Eux, ils peuvent pas comprendre, dit-elle en désignant d'un grand geste de la main les clients de la taverne. C'est dur pour nous de vivre dans une grande ville comme Amsterdam. Moi, c'est un homme qui m'a attirée jusqu'ici. Il m'a dit qu'il m'aimait, et, quand j'ai refusé de céder à ses avances malhonnêtes, il m'a chassée comme une malpropre, explique-t-elle en posant sur lui des yeux noyés de larmes. Moi aussi, j'ai été trahie.

Willem lui passe un bras compatissant autour des épaules. Il sent ses os sous la peau. Comparée à sa pulpeuse Maria, cette fille est maigre comme un coucou.

— Ne pleure pas, dit-il. Je vais m'occuper de toi.

On leur apporte deux autres verres d'alcool. Annetje lève le sien.

— A notre santé et à la santé des nôtres !

Willem vide son verre d'un trait. Une sensation de chaleur envahit tout son corps. La pièce se met à vaciller.

— Elle est tellement jolie, dit-il. Je ne suis pas assez bien pour elle.

— C'est une sotte. Moi, je te trouve très bien, minaude-t-elle en posant une main sur son genou.

94

Il est sur un bateau, la pièce se met à tanguer furieusement. Les gerbes de houblon accrochées au plafond se balancent au rythme des souliers qui frappent le plancher. Le frère d'Annetje a disparu.

Amis, buvons à la santé de l'homme et de
*   la jeune fille,*
A la santé du fier dragon,
Et lorsque nous aurons bu le soleil jusqu'au
*   dernier rayon,*
Recommençons et buvons la lune !

Willem jette un coup d'œil distrait à l'assistance. Il se sent soudain pris d'affection pour ces gens qui tourbillonnent gaiement dans un nuage de fumée. Ils semblent se mouvoir dans un rêve. Brusquement, Annetje le tire de son siège pour le faire entrer dans la danse, mais ses pieds refusent de lui obéir. Il titube, elle le retient en le serrant très fort dans ses petits bras nerveux. Les assiettes accrochées au mur décrivent d'étranges cercles et menacent de se décrocher pour aller se fracasser à terre.

Le temps a suspendu son vol. Willem a l'impression d'être là depuis une éternité. La musique s'accélère. Annetje rit aux éclats, révélant de vilaines dents jaunies par le tabac. Soudain, il réalise qu'elle est très jeune, presque une enfant. Mais où est donc passé son frère ? Il ne devrait pas la laisser seule. Elle se serre contre Willem, et une bouffée de désir l'envahit malgré lui. Comment peut-il la désirer, alors qu'il aime Maria ? « Ah, la putain, la garce ! Qu'elle aille donc se faire voir ! »

— Tu es content, on dirait, lui glisse Annetje à l'oreille tout en resserrant son étreinte et en se frottant contre lui. Oh oui, mon petit doigt me dit que tu es très content. Tu veux bien me raccompagner chez moi, dis ?

Il hoche la tête. Il se doit de la raccompagner. La pauvre petite est perdue, tout comme lui. Il leur faut se soutenir l'un l'autre. Tout à coup, il se sent fondre au contact de son petit corps nerveux et insistant.

Elle l'entraîne à travers la foule. Une vieille femme leur adresse au passage un sourire édenté, puis murmure quelques mots à l'oreille d'Annetje. Quelqu'un bouscule Willem : il vacille, retrouve son équilibre, regarde à nouveau la femme et s'aperçoit qu'elle est en fait moins vieille qu'il ne l'avait cru. Elle doit avoir trente ans tout au plus. Les apparences sont décidément trompeuses, ce soir. Il a l'esprit embrouillé par l'alcool.

Annetje le saisit par la main et le conduit vers l'étage.

— Où habites-tu ? demande-t-il.

— Au premier, dit-elle. J'ai une petite chambre à moi. Nous formons tous une grande famille, ici.

Ils longent un couloir étroit percé de nombreuses portes. Derrière l'une d'elles, une femme éclate d'un rire strident pareil au cri d'un oiseau de nuit.

L'instant d'après, Willem se retrouve dans un galetas minuscule, tout juste assez grand pour contenir un lit. Annetje referme la porte derrière eux. Willem, qui n'a pas l'esprit vif, comprend enfin, malgré son ivresse, que la fille est une prostituée. Il est d'abord déçu : encore un rêve qui part en fumée. Puis il se sent soulagé. Il n'a plus besoin de la protéger à présent. Il peut faire d'elle ce qu'il veut.

Cette pensée l'excite. Il n'a jamais couché avec une putain, contrairement à ses amis et à son jeune frère, Dierk.

— N'aie pas peur, murmure Annetje en l'attirant sur le lit et en s'allongeant à son côté.

Ils s'enlacent, et Willem se retrouve coincé contre le mur. Elle lui prend la main, la glisse sous sa jupe puis enfonce un de ses doigts dans sa vulve. Comme c'est chaud et humide !

— Sens comme j'ai envie de toi, gémit-elle. Quelque chose me dit que tu es un grand garçon... Tu n'aurais pas une surprise cachée là-dedans ?

De ses doigts experts et agiles, elle délace ses chausses, puis part à la recherche du membre de Willem, qui se dresse bientôt, dur et turgescent, dans sa main.

— Prends-moi ! chuchote-t-elle dans un halètement.

La jeune femme semble réellement surprise. Le sexe de Willem est énorme. Quand il était plus jeune, il avait honte de cette grosse chose encombrante qui se dressait toute seule entre ses jambes, mais à présent il en tire une sorte de fierté innocente.

— Fichtre, quel gourdin ! dit-elle. On peut dire que tu caches bien ton jeu...

Elle le caresse ; sa respiration s'accélère. Willem est au supplice. Il tremble de tout son corps. Bientôt il va éjaculer entre ses doigts.

— Eh bien ! On dirait que c'est mon jour de veine, ce soir ! murmure la fille.

— Combien ?

N'est-ce pas là la question qu'un homme doit poser ?

— Avec une telle trique ! Pour toi, ce sera gratuit.

Elle l'allonge sur le dos, puis relève ses jupes et commence à l'enfourcher. Soudain elle s'arrête.

— Oh, oh, la nature m'appelle, dit-elle. Attends-moi ici, je ne serai pas longue.

Elle se lève, puis se penche au-dessus de son membre et l'embrasse.

— Et toi, mon grand vilain garçon, tu ne bouges pas, compris ?

La porte se referme. Ses pas s'éloignent dans le couloir.

Etendu sur la couche, Willem est dans tous ses états. Son esprit est brumeux et il a du mal à se souvenir des événements de la veille. Maria ? Il l'a désormais perdue à jamais. Le lit tangue sous lui. Il est ivre. La tête lui tourne, mais c'est une sensation plutôt agréable. Le voilà devenu un homme ; bientôt il se glissera à l'intérieur d'un petit *kut* bien chaud. Il pourra faire tout ce qui lui passe par la tête, sans qu'elle le repousse. Il jette un coup d'œil à son membre impatient qui redresse sa tête cramoisie avec obstination.

« Pour toi, ce sera gratuit. » Son cœur s'enfle d'orgueil. Ah, si seulement Maria pouvait le voir en ce moment ! Dire qu'une petite putain endurcie est prête à le contenter pour rien. Et voilà le genre d'homme que Maria a dédaigné ! Il sourit béatement. « On dirait que c'est mon jour de veine, ce soir ! »

En signe de gratitude, il pourrait lui laisser un pourboire. Il glisse une main dans son pourpoint.

Plus tard il se souviendra de cet instant : le couple qui s'ébat bruyamment de l'autre côté de la paroi, les rires étouffés, et son crâne qui heurte violemment la poutre du plafond quand il se relève d'un bond.

Willem est redescendu dans la taverne. Les rires joyeux continuent de fuser, le violon gratte de plus belle. Des faces rouges le dévisagent tandis qu'il se fraie un chemin à travers la foule.

Il saisit le tenancier par le col.

— Où est-elle ? hurle-t-il.

— De qui parles-tu ?

— De cette *zakkeroller* ! Elle m'a volé ma bourse !

— Jamais vu cette fille, dit l'homme en le repoussant violemment. Du balai !

— Où est son frère ?

— Qui ça ?

Willem semble enfin tout comprendre : ce n'est pas son frère, évidemment.

— Ils m'ont détroussé, les canailles ! rugit-il.

— Répète un peu !

Un coup de poing atteint Willem au menton ; la pièce vacille. Un rire explose. Comment osent-ils se moquer de lui ? Il s'effondre à terre, entraînant une chaise dans sa chute. Une grêle de coups de pied s'abat alors sur lui, puis on le traîne vers la porte. Il roule au bas des marches jusque dans la rue. Dehors il fait froid. On le relève brutalement.

— Hors d'ici, fripouille !

Quelqu'un le frappe au visage. Il se plie en deux. Son nez va éclater. Il tente de se protéger la figure avec les mains, mais ses bras sont maintenus fermement derrière son dos. Soudain son pied heurte le parapet du canal. Quelqu'un lui soulève la jambe. Willem essaie de se débattre, mais en vain, ses assaillants sont trop nombreux.

Il perd l'équilibre et tombe dans la rivière. L'eau glacée le fait suffoquer. Il crache, tousse, puis se sent sombrer tout entier. Il se sent couler... couler... Le poids de ses vêtements l'entraîne vers le fond.

21

SOPHIA

*Mets un frein à tes désirs si tu ne veux
point tomber dans l'excès.*

Jacob Cats citant Aristote

J'arrive à la maison juste à temps. Je file à la cuisine raccrocher la pèlerine et le bonnet de Maria au porte-manteau, puis je jette pêle-mêle le reste de ses vêtements dans le bahut. Dieu soit loué, elle dort à poings fermés. Au même instant, j'entends claquer la porte d'entrée.

Je me précipite au premier. On n'y voit goutte là-haut. Le cœur battant, je m'élance vers la chambre à coucher. Dans ma hâte, je heurte le chambranle de la porte.

En bas, j'entends Cornelis qui verrouille la porte d'entrée. Terrorisée, je me fige sur place : la semence de mon bien-aimé s'écoule lentement entre mes cuisses. Aveuglée par le péché, je continue d'avancer à tâtons.

Ouf ! J'ai trouvé le montant du lit. Les pas de mon époux résonnent dans l'escalier et j'entrevois la lueur d'une bougie sur le mur. Quand il entre dans la chambre, je suis enfouie sous les couvertures, recro-quevillée en chien de fusil, les bras passés autour des genoux.

22

WILLEM

> *Plus elle est éloignée de la surface, plus*
> *l'écume perd de sa blancheur, cela est*
> *prouvé [car]... la couleur naturelle d'un*
> *objet immergé se rapproche d'autant plus de*
> *la couleur verte de l'eau que la masse de*
> *liquide le recouvrant est importante.*
>
> Léonard de Vinci, *Carnets*

Willem a cessé de se débattre. Il s'abandonne au courant et se regarde couler ; son âme s'est déjà détachée de son corps. Les souvenirs reviennent à sa mémoire : le visage maternel où bourgeonne une verrue, sa sœur riant, une main posée devant sa bouche... Il sait qu'il est en train de mourir, mais il est résigné. N'est-ce pas notre destin à tous de fleurir le temps d'une saison puis de périr ? Où qu'il aille, Dieu sera là, prêt à le prendre dans ses bras.

Willem s'enfonce, épave parmi les épaves : cadavres de chiens, carcasses de boucherie, immondices rejetées par les quelque cent vingt mille âmes qui peuplent cette ville.

Cependant, contrairement à la plupart de ses concitoyens, Willem sait nager. Et bien qu'il ait tout perdu — sa promise, ses rêves, sa fortune —, il s'entête à vivre. Son rude instinct de survie lutte contre son désir de sombrer dans l'oubli. Le voilà qui se débat pour remonter à la surface, où il aspire l'air à pleins poumons. Agitant furieusement les bras et les jambes, il parvient tant bien que mal à regagner la berge. Il longe alors le quai gluant de mousse, cherchant désespérément une prise. Plusieurs fois, le courant le rejette contre la paroi de brique. Sa main rencontre enfin un anneau d'amarrage. Il s'y accroche, toussant et crachant, et parvient à se hisser sur le quai. Dieu qu'il est lourd : le poids mort d'un vivant. Il s'effondre sur la chaussée, exténué.

Le lendemain matin, l'âme et le corps meurtris, Willem fait ses bagages et se rend sur le port. Là, il s'enrôle dans la marine et, quelques jours plus tard, son navire appareille. Il part guerroyer contre les Espagnols, les seuls ennemis auxquels il puisse désormais se mesurer. Sa rage a fait place à la ferveur patriotique.

23

JAN

Faites sécher des graines de lin à sec dans une poêle. Une fois sèches, versez-les dans un mortier et broyez-les jusqu'à obtention d'une fine poudre. Versez ensuite la poudre dans la poêle et faites chauffer en ajoutant une petite quantité d'eau. Enveloppez la poudre dans un linge propre, que vous placerez dans un moulin à presser les olives ou les noix, afin d'en exprimer l'huile. Avec l'huile ainsi obtenue, vous broierez du minium ou du vermillon ou toute autre couleur de votre choix... Préparez des nuances pour les visages et les draperies... en distinguant, selon votre fantaisie, animaux, oiseaux ou feuillage, et les nuances qui leur sont propres.

Theophilus, XIe siècle

Jan a mauvaise conscience. Trop absorbé par son amour pour Sophia, il a négligé son apprenti. Jusqu'ici, Jacob n'a fait qu'exécuter de basses besognes, broyer des pigments, nettoyer les pinceaux, et n'a guère reçu plus de deux ou trois leçons de dessin. Pourtant le garçon est doué, plus doué que Jan ne l'était à son âge, et insatiable dans son désir d'apprendre. De plus, Jacob est d'humeur moins fantasque que son maître, et aussi moins impétueux. Jan ne peut se l'imaginer tombant éperdument amoureux d'un de ses modèles. Un jour viendra où il pourra vivre confortablement de son art, en peintre compétent et consciencieux à défaut d'être génial. Génial ? Lui-même le sera-t-il un jour ? Apparemment, Mattheus en doute. « Il faut être courageux, mon ami, et ne pas avoir peur de souffrir. »

Il a installé son élève devant le portrait de Cornelis en lui ordonnant de finir les mains et les jambes du vieil homme. Jan ne peut se résoudre à peindre lui-même les jambes grêles qui ont reposé entre les cuisses de Sophia. Il a peint le visage du vieillard, mais n'a fait qu'ébaucher le reste, ne voulant plus rien avoir à faire avec lui.

Le portrait de Sophia quant à lui est terminé, mais la Sophia qui pose docilement au côté de son mari pour la postérité a cessé d'exister depuis longtemps. Car la vraie femme, tel un fantôme, a quitté la toile pour venir le rejoindre. Pour la première fois de sa vie, Jan passe outre sa conscience professionnelle. Il est incapable d'achever son œuvre ; son tableau est mort. Il aidera le garçon à peindre le fond, puis la toile sera terminée.

Car il est tout entier absorbé par l'exécution d'un autre portrait intitulé *La Lettre d'amour*.

— Décris-moi la pièce dans laquelle tu te trouvais quand tu as lu ma lettre, a-t-il demandé à Sophia.

— Dans la chambre à coucher... Les murs sont lambrissés, et il y a un buffet de bois ciré. Derrière moi est accrochée une tapisserie, *Orphée aux enfers*... Le lit...

Non, il ne peindra pas le lit.

— Que portais-tu ?

— Une robe de soie violette que tu ne connais pas et un corset noir brodé de velours et d'argent.

— À quoi pensais-tu ?

— Je pensais : le monde s'est arrêté, mon cœur va éclater...

— Tu étais heureuse ?

— J'avais peur.

— N'aie pas peur, ma bien-aimée.

— Je pensais : jusque-là j'étais endormie, mais à présent j'ai les yeux grands ouverts. Je pensais : il m'aime aussi ! J'avais l'impression que mon corps tout entier se liquéfiait. Je pensais : en aurai-je le courage ? Cent fois je me suis élancée vers la porte sans oser franchir le pas.

— Et pour finir tu as osé.

Il aime Sophia pour sa témérité, sa fougue et son ingéniosité. C'est une femme qui lui ressemble.

— Je nous imaginais en train d'échanger un baiser. Et je te maudissais de vouloir ainsi me pousser à tromper mon mari. Dieu, que ma tête est embrouillée !

Sophia est ici, dans l'atelier. Elle est toujours avec lui puisqu'il converse avec elle dans sa tête. Il se la représente devant la fenêtre en train de lire sa lettre. La peinture n'est qu'une illusion. Bien qu'absente, Sophia n'en est pas moins présente, plus réelle que le plus réel des modèles qu'il a peints jusqu'ici. L'art ment afin de dire la vérité. Il fait fleurir ensemble les fleurs des différentes saisons en un impossible bouquet. L'artiste déplace les arbres à sa convenance dans le paysage. Il forme des compositions, agence les pièces comme des décors de théâtre, les garnit avec son mobilier, puis y dispose des modèles en une scène muette de drame. Même le plus simple portrait n'est qu'une approximation filtrée à travers les yeux de l'artiste. Son réalisme, jusqu'au plus petit détail, n'est en réalité qu'illusion.

Au premier plan, sur la table, Jan a composé une nature morte avec des objets provenant de sa collection personnelle : des verres à pied et des bijoux qu'il garde spécialement dans son coffre à cet effet. Ils ne sont porteurs d'aucun enseignement moral. Ici, point de crâne humain, de coquilles de moules vides ou de lanterne ouverte gisant à terre. Ces objets, choisis pour leur beauté, n'existeront que dans cet instant, dans ce tableau. Ils n'ont d'autre propos que de célébrer son amour pour Sophia.

Plus tard, ce jour-là, en revenant de faire ses courses, Sophia lui rend visite. Elle a mis sa robe de soie violette comme il le lui avait demandé. Ils ne s'embrassent pas car Jacob est là, qui peint en sifflotant tandis que Gerrit s'affaire bruyamment à la cuisine.

Il fait soleil aujourd'hui. Sophia est debout à la fenêtre, le visage baigné de lumière. Comme ils ne peuvent se parler, Jan lui donne une autre lettre à lire :

Tu es ma vie. Viens me rejoindre ce soir et passons la nuit ensemble. Je veux te sentir rêver entre mes bras. Je t'aimerai jusqu'à la mort.

Tout en lisant, Sophia se raidit. Jan fait une rapide esquisse d'elle au fusain. La jeune femme relit une fois encore la lettre puis se tourne vers le peintre.

— Ne me regardez pas, ordonne-t-il. Relisez la lettre... Votre tête... Oui, comme ça.

Jacob a cessé de siffler. Il les écoute.

Les lèvres de Sophia se mettent à trembler.

— Je vais la lire à haute voix, dit-elle.

Jan roule des yeux stupéfaits.

— Est-ce bien raisonnable ?

Elle lit :

— « Cher monsieur Cornelis Sandvoort, votre portrait est bientôt terminé, vous pourrez en prendre livraison mardi prochain. J'espère qu'il sera conforme à vos attentes et que nous pourrons, si cela vous agrée, procéder au règlement du solde de mes honoraires. »

Jan réprime un petit éclat de rire. Sophia regarde fixement par la fenêtre.

— Comment appellerez-vous cette toile ? demande Jacob.

— *La Lettre d'amour*, répond Jan.

— *La Lettre d'amour* ? s'étonne le garçon. Ça n'y ressemble pourtant guère.

— La peinture n'est qu'une illusion, rétorque Jan. Ne l'as-tu pas encore compris ?

Sophia rit. Jan se remet à sa toile.

Un fumet appétissant leur parvient de la cuisine. Une chaude atmosphère domestique emplit soudain la maison. Jacob sifflote gaiement, Gerrit prépare le repas à l'office. Il n'y a pas pire gâte-sauce que Gerrit — Jan préfère d'habitude manger hors de chez lui. Pourtant, aujourd'hui, une odeur délicieuse flotte dans la pièce. Ce n'est qu'une illusion, bien sûr. Sophia ne mangera pas le *hutspot*. En fait, elle devrait déjà être partie. Elle a pris de gros risques en venant rendre visite à son amant en plein jour.

Mais qu'est-ce que la réalité ? Tout ceci semble parfaitement vrai et légitime. A travers le mensonge, Jan peint la vérité. Il a recréé la vie ici, pour sa bien-aimée. Voyez comme elle est rayonnante, debout

107

près de la fenêtre, en train de lire sa lettre ! Lorsqu'elle sera partie, son éclat subsistera.

Jan travaille vite. Il est plein d'énergie et de fougue, une fougue qui n'est pas uniquement due au désir. La plupart du temps, il a l'impression de ne rien faire d'autre que d'étaler de la peinture sur une toile. Mais aujourd'hui il peint, vraiment.

24

Sophia

Cessez donc de courir d'est en ouest,
Restez à la maison,
Voilà ce qui convient aux filles.

Jacob Cats, *Emblèmes moraux,* 1632

Je me sens étrangement euphorique — ou devrais-je dire insouciante ? — en sortant de l'atelier de Jan. La rue est déserte ; personne ne m'a vue. Un chat tigré me file entre les jambes : c'est un bon présage. Car, contrairement à Maria, je ne suis pas esclave des vieilles superstitions. Je fais et défais les présages à ma convenance. D'ailleurs, voyez, j'ai enfreint les règles, et personne ne m'a démasquée. J'ai sauté du dernier étage de cet entrepôt et je ne suis pas tombée. J'ai volé ! Je possède l'immunité aérienne des anges.

Dehors il fait soleil ; le printemps est enfin de retour. « Viens me rejoindre ce soir et passons la nuit ensemble. » J'aime Jan à en perdre la raison. Je sais que c'est mal, mais je n'en éprouve aucune honte. Je suis un chariot tiré par des chevaux lancés au galop. Mes roues sont ma foi. Je suis impuissante. Le châtiment viendra, mais seulement plus tard.

109

Le cœur léger, je passe devant l'étalage du fleuriste où sont exposées des jacinthes d'un bleu vibrant ; je remarque ensuite une porte d'un joli vert brillant. J'ai appris à museler mes sentiments quand mon père me battait. Je fuyais loin de mon corps, et mon esprit volait librement. Je m'observais de loin, avec détachement. J'avais mal, bien sûr, mais cela n'avait pas d'importance. Je n'ai pas songé à mon père depuis longtemps ; d'ailleurs, il y a belle lurette que j'ai cessé de songer aux autres. L'amour me rend égoïste. J'aimais mon père et il m'aimait. Il ne me frappait que lorsqu'il était ivre. C'était un homme passionné ; lorsque la vie l'a déçu, il s'est réfugié dans la boisson. Quand il est mort, je l'ai beaucoup pleuré. Peut-être est-ce pour cela que j'ai accepté d'épouser un homme mûr. Il nous a quittées l'année de mes quatorze ans. Je me suis dit : « Si Dieu m'aime, pourquoi m'inflige-t-il un tel châtiment ? » Si c'est par la volonté de Dieu que mon père est mort, pourquoi ai-je le sentiment d'avoir été trahie ?

Comme je ne pouvais poser ces questions à personne, je les ai gardées pour moi. Notre pays est un pays de tolérance. Catholiques et calvinistes y cohabitent en paix, ainsi que nous le faisons, mon mari et moi. Car, quelle que soit notre confession, celle-ci est enracinée dans les fondements mêmes de notre existence. Nous vivons dans la présence de Dieu. Cette journée radieuse, ce beau soleil, ces bouquets de jacinthes sont sa création, et nous lui rendons grâce pour tant de beauté. Malheur à moi si je blasphème.

Je cours en effet un danger mortel. Le soleil me berce de la chaleur de ses rayons, mon cœur chante. Je crois sincèrement que je vais pouvoir garder mon secret. Samedi prochain, mon mari doit se rendre au banquet de la Garde civique. Il va boire plus que de raison et ne rentrera que fort tard. J'en profiterai pour m'esquiver et passer la soirée chez mon amoureux. Si Maria dort, j'emprunterai ses affaires. Car ma servante ne fait que dormir ces temps-ci ; elle bâille à longueur de journée et s'endort à poings fermés sitôt son ouvrage terminé. Je me demande confusément quelle peut être la cause d'une telle nonchalance. Enfin... Comme je suis heureuse ! Je suis aveuglée par le bonheur.

Pourtant devant moi se trouve ma chute... Et dire que je croyais réellement pouvoir voler !

En rentrant, je trouve Maria en train d'éplucher des oignons. Il règne un désordre indescriptible à l'office : le feu est éteint et le sol est jonché d'épluchures et de vaisselle sale. Maria aussi a dû se promener beaucoup aujourd'hui ; sa pèlerine gît à terre et le chat s'y prélasse, étendu dans un rayon de soleil. La jeune femme me regarde. Son visage est inondé de larmes. Ce doit être les oignons.

— As-tu fini le repassage ? demandé-je.

— Madame, il faut que je vous dise quelque chose, répond Maria, le visage crispé. J'attends un enfant.

Je lui sers un verre d'eau-de-vie. Elle l'avale d'un trait.

— Et dire que je lui faisais confiance ! Je l'ai cru quand il a dit qu'il voulait m'épouser et faire de moi une honnête femme.

— Mais où est-il ?

— Je me suis fait un sang d'encre car cela ne lui ressemble vraiment pas...

— Que lui est-il arrivé ?

— Il est parti, gémit-elle. Comme j'étais sans nouvelles, je suis allée au marché au poisson ce matin, explique-t-elle en avalant une autre rasade d'eau-de-vie. Il avait promis de m'épouser.

— Mais sais-tu où il est parti ?

— Non. Il y a une semaine, il a revendu sa part de l'affaire à son associé. Depuis, il n'a plus jamais remis les pieds au marché. Personne ne sait où il est, dit Maria en éclatant en sanglots. Il m'a abandonnée. Et moi qui croyais qu'il m'aimait ! Qu'est-ce que je vais faire toute seule, maintenant ?

Le chat ouvre sa gueule rose et bâille. Il se lève de la pèlerine et s'éloigne à pas de velours.

— Comment a-t-il pu faire une chose pareille ? demandé-je. Savait-il que tu étais...

Elle secoue la tête.

— Tu n'as vraiment pas idée de l'endroit où il a pu aller ? A-t-il de la famille ?

— Ils sont en Frise.

Maria renifle. Ses cheveux défaits retombent en désordre autour de son visage. Je comprends à présent pourquoi elle s'assoupit à tout bout de champ.

— Tu dois le retrouver et l'obliger à t'épouser.

— Mais je ne sais où le chercher ! Il m'a quittée, il ne veut plus de moi...

— Mais quand il apprendra que tu portes son enfant...

— Il est parti ! Vous ne comprenez donc pas, Madame ? Il est parti !

Affalée ainsi sur sa chaise, le visage bouffi, ma jeune servante n'est vraiment pas à son avantage. Je m'agenouille maladroitement et la prends dans mes bras pour la consoler.

— Oh, ma pauvre Maria...

Le chat se frotte contre nos jambes.

Je ne sais que penser. La pauvre fille me fait pitié, mais je suis également inquiète pour moi-même : la même chose pourrait très bien m'arriver. Devrais-je faire comme si l'enfant était de mon mari ? Maria porte le fruit de ma propre inconstance. Dire que je pourrais être à sa place. Que se passerait-il alors ? Une force supérieure fait et défait nos destins à sa guise. Cette force supérieure a puni ma servante pour les péchés que j'ai commis.

Je m'assieds sur mon lit afin d'essayer de mettre de l'ordre dans mes pensées. J'entends les pas de Maria à l'étage. Ils me semblent déjà plus pesants. Elle devrait être en train de préparer le repas du soir, et moi je devrais être en train de la surveiller, car Cornelis va bientôt rentrer. Il règne une atmosphère confinée et apathique dans la maison. Il va tout de suite sentir que quelque chose ne va pas.

Maria entre sans frapper et se laisse tomber à côté de moi sur le lit. Une telle familiarité ne lui ressemble guère, mais elle est tellement désemparée, la pauvrette.

— Eh bien, dis-je en lui tapotant gentiment la main, il va falloir que tu retournes vivre chez tes parents.

— Chez mes parents ? répète Maria en roulant des yeux épouvantés. Mais je ne pourrai jamais retourner chez mes parents. Quel déshonneur !

— Il le faudra bien, pourtant...

— Mon père me tuera !

— Mais non...

— On voit que vous ne le connaissez pas, répond-elle sèchement.

— Mon père aussi avait le sang vif, mais tu verras, il finira par te pardonner.

— Il me tuera.

113

Il y a quelque chose de morne et d'irrévocable dans sa voix.

— Qu'en pensez-vous, Madame ? Dois-je tenter d'avorter ? Noyer l'enfant à la naissance ? Vais-je me retrouver à la rue, comme une femme déshonorée, et mourir de honte et de faim ? Je vous en supplie, Madame, gardez-moi avec vous.

— Mais c'est impossible, Maria, tu le sais bien.

— Vous allez me jeter dehors ?

— Tu peux rester ici quelques semaines encore, mais...

— Répondez ! Vous allez me jeter dehors ?

Quelle attitude adopter en pareille circonstance ? Je n'en ai pas la moindre idée.

— Lorsque mon mari l'apprendra, il ne te laissera pas le choix, Maria, tu le sais.

La jeune femme inspire profondément puis, plissant les paupières d'un air menaçant, elle plonge ses yeux dans les miens et dit :

— Si vous me jetez dehors, je raconte tout à votre mari.

Il y a un long silence.

— Que dis-tu ?

— Vous m'avez parfaitement entendue.

Je reste sans voix. J'ai l'impression de tomber dans le vide.

— Je le ferai, Madame, ajoute-t-elle. Je n'ai rien à perdre, de toute façon.

Ma gorge se serre. Je n'ose pas la regarder en face. Je fixe la gueule noire et béante de la cheminée éteinte. Si seulement elle pouvait m'engloutir...

— Comment le sais-tu ? demandé-je pour couper court.

— Je ne suis pas idiote.

— Comment ? insisté-je.

114

— La lettre que vous aviez déchirée, je l'ai lue. Et même si je ne l'avais pas lue, ça se voyait, quand il était là, vous et lui.

— Ça se voyait ?

— Et puis, ce soir-là, je ne dormais pas. Je vous ai vue raccrocher ma pèlerine. Il ne m'a pas fallu bien longtemps pour comprendre. Je l'aurais gardé pour moi, car je ne suis pas du genre à rapporter, mais si vous m'y obligez... dit-elle en remettant de l'ordre dans son tablier et sa coiffure. Alors inutile de jouer les grandes dames avec moi. Si je dois tomber, vous tomberez aussi, conclut-elle en se levant.

25

CORNELIS

*Si l'homme est la tête, la femme est le cou
sur lequel elle repose.*

Manuel de vie domestique du XVIIe siècle

Chaque dimanche, Cornelis va chercher sa femme à la sortie de son lieu de culte, Notre-Seigneur-du-Grenier, une église catholique privée située non loin de Oude Kerk. Il prend plaisir à flâner ainsi par les rues de cette ville admirable (que de beauté et de richesse !) avec Sophia à son bras. Après une semaine de rude labeur, c'est sa récompense. Les autres hommes le regardent avec envie ; il se rengorge. Des connaissances s'arrêtent pour le saluer ; il en profite pour faire étalage de sa miraculeuse bonne fortune.

Par une belle journée ensoleillée comme celle-ci, tout le monde est dans la rue : les bourgeois respectables et leurs épouses, les commerçants en habits du dimanche. Leur visite à l'église les a purifiés ; ils se sont repentis de leurs péchés, ils ont recouvré leur intégrité et sauvé leur âme de la damnation éternelle. Telle une marée noire, ils déferlent dans les rues.

Leur âme est aussi propre que le seuil de leur maison ; leur foi aussi reluisante que le heurtoir de leur porte. Cette nation est impeccable, parfaitement astiquée du dedans comme du dehors. Une telle propreté suscite l'admiration des étrangers.

Le dimanche, Cornelis se souvient du passé, il prie pour ses défunts fils Frans et Pieter et sa première épouse. Les autres jours, quand il prie avec Sophia, il est mal à l'aise. Mais le dimanche leur foi les sépare, et il se sent plus libre de communier avec sa famille perdue. Jésus a rappelé ses fils en son sein, ils sont au paradis, deux chérubins ailés.

C'est du moins ce qu'il s'efforce de croire, car depuis peu il est habité par un doute étrange. Ses fils ne sont que deux petits corps inertes. Ils se sont éteints sans raison. Par-delà la mort, il n'y a que du vide. Parfois, au temple, lorsqu'il s'agenouille pour prier, il se sent gagné par une horrible angoisse. Il n'y a pas de paradis, juste un jeu de cartes éparpillées. La vie est un jeu de hasard, rien de plus qu'une poignée de bulbes, une paire de rois. Et il arrive que même le plus vertueux des hommes tire l'as de pique.

Bien sûr, il ne peut en parler à personne, et surtout pas à Sophia. Son épouse est innocente, inébranlable dans sa foi. Il serait tout aussi incongru d'agiter devant elle les démons du doute que de lui parler de Grietje relevant ses jupes. Ses fils lui ont bel et bien été ôtés par la volonté de Dieu, et le nier serait un blasphème.

Cornelis a une nouvelle vie désormais, et une nouvelle épouse. Elle est plus jeune que ses fils ne l'auraient été s'ils avaient vécu. Leurs fantômes accompagnent chacun de ses pas. Les années qu'ils n'ont pas vécues les ont rendus grands et vigoureux.

Les épouses et les enfants qu'ils n'ont pas eus sont là, quelque part en dehors de son champ de vision. L'air vibre, comme le silence après que les cloches se sont tues. Il vibre de possibilités interrompues. Ses fils lui parlent, et même s'il fait la sourde oreille, ils lui disent la vérité : « Il n'y a rien ici, tu peux nous croire. » Il ne faut pas que Sophia les entende. Car tous les rêves de Cornelis sont contenus en elle comme les pétales d'une fleur en bouton. Elle est son seul espoir ; son avenir repose désormais tout entier ici, en ce séjour terrestre.

Une seule question demeure : quand le bouton va-t-il éclore ? Car, en dépit de ses efforts, Sophia n'a toujours pas conçu. Hier soir, en rentrant du banquet, il l'a pénétrée. Elle s'est docilement laissé faire, les bras passés autour de son cou tandis qu'il éjaculait. En silence, il a prié Dieu de rendre sa semence féconde. Mais ensuite il l'a entendue qui pleurait, la tête enfouie dans l'oreiller. Elle aussi voudrait un enfant. « Mon Dieu, mon Dieu, pourquoi m'as-tu abandonné ? »

Aujourd'hui les rues d'Amsterdam sont remplies d'enfants qui reviennent de l'église. Un garçon qui tient la main de sa mère s'arrête pour regarder un pigeon. Des jumelles suçant leur pouce regardent leurs pieds en essayant de marcher au même pas. Les enfants d'Amsterdam sont éclatants de santé. Comme ils ont l'air heureux ! Ils semblent le narguer.

Cornelis est un homme de routine. Chaque dimanche, il s'arrête devant l'étal d'un marchand installé sur le Dam pour acheter à Sophia une galette chaude saupoudrée de sucre. Alléché par la bonne odeur de vanille et d'amandes grillées, un petit garçon tire le bras de son père. Le chérubin a des boucles blondes et de bonnes joues rouges. Un vrai Rubens. Cornelis sent son cœur se gonfler dans sa poitrine.

Sophia n'a pas desserré les dents de la matinée. Peut-être pense-t-elle à la même chose que lui ? Cornelis lui tend une galette chaude enroulée dans un cornet de papier. D'un geste circulaire, il désigne la rue baignée de soleil.

— Quelle journée magnifique ! Une seule chose manque à mon bonheur...

Sophia le regarde bouche bée. On dirait qu'elle vient de s'éveiller d'un rêve.

Puis elle mord à belles dents dans sa galette.

26

SOPHIA

*Les beaux tableaux se trouvent en abon-
dance ici. Ce qui est rare, c'est de n'en point
trouver dans la maison d'un modeste bouti-
quier.*

William Aglionby, *L'Etat présent des Pays-Bas*, 1669

C'est Gerrit, le domestique, qui vient nous ouvrir.
Mon époux et moi entrons dans l'atelier. Jan se tient
debout à côté de la toile terminée.

Je transpire à grosses gouttes, j'ai les mains
moites. Je ne voulais pas venir mais Cornelis a insisté
pour que je l'accompagne, si bien que j'ai dû céder,
de crainte d'éveiller ses soupçons.

— Puis-je vous offrir un verre de vin ? demande
Jan en s'adressant à mon époux.

Cornelis est comme un intrus dans ma vie secrète.
Est-il possible qu'il n'ait pas flairé ma présence ici ?
Le lit surgit soudain, énorme, avec ses rideaux tirés.
Il attire l'œil avec une force magnétique.

Cornelis balaie la pièce du regard. Et si j'avais
oublié un objet personnel ici, une chose qu'il pourrait reconnaître ? De toute façon, même en l'absence

120

de preuves tangibles, cette pièce semble remplie de ma présence. Comment ne devine-t-il pas que ma vraie maison est ici désormais, avec mon cœur ?

Gerrit nous apporte des *roemers* de vin sur un plateau ; les plus beaux verres de la maison. Tout en buvant, je regarde subrepticement Jan par-dessus le bord de ma coupe. Il m'a accueillie avec courtoisie, nos regards se sont à peine croisés. S'il est aussi mal à l'aise que moi, il n'en laisse rien paraître.

— Eh bien, monsieur, le tableau est-il à votre goût ? demande-t-il.

Cornelis étant myope, il s'approche de la toile. Il hoche alors la tête en marmonnant dans sa barbe.

— Il est très ressemblant, vous ne trouvez pas ? lui fait remarquer Jacob, l'apprenti. Vos jambes, en particulier. Admirez le coup de pinceau.

Cornelis approuve.

— Très beau travail. Et vous, ma chère, qu'en dites-vous ?

Mon verre se met à trembler entre mes mains. Tous les yeux sont posés sur moi. Jacob a un visage pâle et intelligent ; rien ne semble lui échapper. La face épaisse et grenue de Gerrit me fait penser à une pomme de terre. Ces hommes sont dangereux, chacun à sa manière. Vont-ils me trahir ? Je ne puis malgré tout m'empêcher d'éprouver une certaine tendresse à leur égard car, cette maison étant aussi la leur, ils sont inclus dans mon amour.

Juste au moment où je vais ouvrir la bouche, Cornelis s'exclame :

— Dieu que j'ai l'air vieux ! Je n'ai pas encore soixante et un ans et pourtant j'ai l'air d'un vieillard. Est-ce donc ainsi que le monde me voit ? demande-t-il en se tournant vers moi, un petit sourire hésitant

121

sur les lèvres. Nous devrions l'appeler *L'Hiver et le Printemps*.

— Je n'ai fait que peindre ce que je voyais, précise Jan. Rien de plus.

— En tout cas, la beauté de ma femme ne vous a pas échappé, dit Cornelis en me regardant. Quelle fraîcheur, quelle jeunesse ! On dirait une pêche nimbée de rosée. Qui était-ce déjà, Karel Van Mander peut-être ?, qui, voyant une nature morte, voulut tendre la main pour s'emparer du fruit représenté sur la toile ? Il ne s'était pas rendu compte que cette pêche-là ne pouvait être mangée.

Un ange passe. Au-dehors, une cloche sonne. Cornelis soupçonnerait-il quelque chose ?

— Je ferai livrer la toile demain à votre domicile, dit Jan en nous débarrassant de nos *roemers* vides.

Il est mal à l'aise. Il semble impatient de nous voir partir.

Je dois pourtant lui parler. Une idée a germé dans ma tête depuis que Maria m'a annoncé qu'elle était enceinte. C'est une idée si audacieuse, si hardie que j'ose à peine la formuler. En outre, le moment est mal choisi. Jan nous raccompagne jusqu'à la porte. Mon cœur se serre à l'idée que je ne vais pas pouvoir l'embrasser avant de partir.

En passant devant lui je murmure :

— J'ai un plan.

— Que dites-vous ?

Maria me regarde en écarquillant les yeux. Toute la journée elle a somnolé, mais à présent elle est parfaitement éveillée. Nous sommes dans le salon. Au-dessus d'elle est accrochée une toile représentant un lièvre mort. De tous les tableaux de la maison, c'est celui que j'aime le moins. Suspendu tête en bas, l'animal nous contemple de son œil vitreux tandis que je fais part de mon plan à ma servante.

— Mais, Madame, balbutie Maria en posant une main devant sa bouche. Vous... vous ne pouvez pas !

— Si, je le peux. Mais toi ?

— Moi... moi... ?

Sa voix s'éteint. Pour la première fois, ma gaillarde et volubile servante se tait.

Puis son visage se fend d'un large sourire. Assise sous le lièvre sacrificiel, pitoyable Descente de croix à fourrure, elle éclate d'un fou rire convulsif.

27

CORNELIS

*Il faut cultiver la terre infertile si l'on
veut qu'elle donne des fruits.
Bêchez, binez, creusez,
Essartez, dès le premier jour,
Afin que votre époux bien-aimé puisse y
déposer sa semence.*

Jacob Cats, 1625

— « Il y eut le déluge pendant quarante jours sur
la terre ; les eaux grossirent et soulevèrent l'arche,
qui fut élevée au-dessus de la terre... Alors périt
toute chose qui se meut sur la terre : oiseaux, bestiaux, bêtes sauvages, toutes les choses rampantes
qui grouillent sur la terre, et tous les hommes... Tout
ce qui avait une haleine de vie dans les narines, tout
ce qui était sur la terre ferme, mourut... »

Cornelis fait la lecture à sa femme. Ce chapitre de
la Genèse ne manque jamais de l'émouvoir, car il lui
rappelle que son pays fut, lui aussi, englouti jadis.
Mais, avec l'aide de Dieu, le peuple de Hollande a
reconquis la terre pour y créer un paradis terrestre :
une terre fertile, de belles cités, un pays de paix et

de tolérance où toutes les fois — mennonite, catholique, protestante, hébraïque — cohabitent en bonne intelligence. Comme ils sont heureux !

Sophia se tient tête penchée au-dessus de son ouvrage. Elle est en train de raccommoder un drap. La lampe à huile jette un halo de lumière sur sa chevelure châtain, bouclée sur les tempes et enroulée sur sa nuque. Leur portrait leur a été livré hier et il est accroché au mur. Il scelle leur union. Pour Cornelis, qui détient des parts dans plusieurs compagnies maritimes, les affaires n'ont jamais été aussi florissantes. Ce mois-ci, une flotte de deux cents navires va rallier la Baltique pour y prendre du grain et le rapporter ensuite en Europe méridionale. En août, une flotte de vingt vaisseaux doit rentrer des Indes orientales avec un chargement d'épices et d'ivoire, et deux cents tonnes d'or chacun. Dieu fasse qu'ils arrivent à bon port, car ainsi Cornelis pourra percevoir des bénéfices substantiels.

— « Alors Dieu se souvint de Noé, et de toutes les bêtes sauvages et de tous les bestiaux qui étaient avec lui dans l'arche ; et Dieu fit passer un vent sur la terre et les eaux désenflèrent... Et Noé enleva la couverture de l'arche : il regarda, et voici que la surface du sol était sèche ! »

Cornelis referme la Bible. Il est l'heure d'aller dormir. Plus tard, il se souviendra de cette soirée comme d'un moment de profond contentement, un peu comme s'il avait pressenti la joie à venir.

Car, une fois au lit, lorsqu'il pose la main sur le sein de Sophia, celle-ci la retire délicatement en disant :

— Mon cher, j'ai une nouvelle qui, j'en suis sûre, vous ravira autant qu'elle m'a ravie. Je suis allée chez le médecin aujourd'hui et il m'a confirmé ce que je soupçonnais. Je porte votre enfant.

28

SOPHIA

*Si le Seigneur ne bâtit la maison, en vain
peint les bâtisseurs. Si le Seigneur ne
garde la ville, en vain la garde veille.*

Psaume 127

J'ai grandi à Utrecht où mon père était imprimeur.
Son échoppe, située au rez-de-chaussée de la maison, donnait sur la rue où, sous une marquise, des
gravures étaient exposées. Dans la cave, on enten-
dait vrombir et claquer la presse. Mon père impri-
mait des pamphlets et des brochures — versets,
sermons et autres œuvres édifiantes recommandées
par les prédicants telles que *La Porte du paradis* ou
Les Délices de la piété. Il vendait également des
estampes et des gravures.

Parmi ces dernières, il y en avait une qui me terro-
risait ; peut-être le hantait-elle également, je ne le
lui ai jamais demandé. Elle représentait la grande
inondation de 1421, le déluge de la Sainte-Elisabeth
qui avait englouti des villages par centaines. La gravure montrait une immense étendue d'eau à la surface de laquelle affleuraient çà et là des cimes
d'arbres ou des clochers d'églises.

126

Je la regardais pendant des heures. J'étais fascinée par la mer étale, les clochers émergeant de l'eau, les scènes d'horreur qui se jouaient en dessous. Dieu avait sauvé Noé. Pourquoi ces gens ne méritaient-ils pas de l'être ? J'entendais sonner le glas, appelant les noyés à la prière. Les cadavres boursouflés des animaux emportés par le courant s'échouaient sur le toit des granges. Une convulsion avait suffi pour mettre le monde à l'envers. Au fond de l'eau, les morts gesticulaient en vain ; ils avaient beau agiter les bras, personne ne leur venait en aide.

— Dieu me préserve ! Tu as vraiment l'intention de mettre ton plan à exécution ?

Nous sommes assis sur la margelle de la fontaine, à quelques pas de chez Jan. Ici, les rues regorgent d'artisans : menuisiers, orfèvres, peintres. Non loin de nous, un forgeron fait résonner son enclume. Nous jugeons plus prudent de nous voir dans la rue ; ainsi, je ne risque pas d'être surprise en train d'entrer chez lui. Pendant ce temps, postée au bout de la ruelle, Maria monte la garde. Nous sommes désormais complices. « Si je dois tomber, vous tomberez aussi. »

— Mais ne crains-tu pas qu'il découvre le pot aux roses ? s'inquiète Jan. Il va voir que Maria s'arrondit...

— C'est une grosse fille. La différence sera à peine visible si elle porte son tablier plus haut.

— Mais enfin...

— Mon mari a la vue basse, dis-je avec désinvolture. Et de toute façon il ne la regarde jamais. Ce n'est qu'une servante, à peine plus qu'une pièce de mobilier.

127

— Mais toi ? Comment vas-tu faire pour grossir ?
me demande Jan, qui semble beaucoup plus nerveux
que moi. Toi, il te regarde ?

— Je simulerai la nausée. Et, dans quelques mois,
je mettrai un coussin sous ma robe...

— Mais c'est ton mari, il partage ton lit. Tôt ou
tard il finira par flairer la supercherie.

— Ah, mais c'est précisément là toute la beauté
de mon stratagème ! Tu sais que je ne supporte pas
qu'il me touche. Je lui ai donc dit que dorénavant,
et jusqu'à la délivrance, le médecin m'avait formelle-
ment interdit tout rapprochement. J'ai une santé
délicate, tu comprends...

— Bien sûr !

— Et mon mari consentira à tous les sacrifices
pour ne pas perdre le bébé. J'ai insisté pour que nous
dormions dans des lits séparés et il a accepté. Il est
tellement heureux qu'il dit oui à tout.

Jan hoche la tête, l'air perplexe.

— Tu es vraiment une femme extraordinaire, dit-
il en me prenant la main.

Non, simplement amoureuse. Amoureuse à en
perdre la raison.

— Maria pourra ainsi rester à notre service,
expliqué-je. Ce stratagème nous convient à toutes
les deux... Elle me rend service, et réciproquement...

Mais ensuite ? Je n'y ai pas encore songé. Je suis
trop excitée pour pouvoir envisager ce qui se passera
après ma grossesse imaginaire. Je me prends tellement au jeu que j'ai l'impression d'être enceinte.
Après tout, puisque mon mari le croit, c'est un peu
comme si c'était vrai.

— Mais que se passera-t-il si tu tombes enceinte
pour de bon ?

— Eh bien, nous changerons nos plans.

128

Jan éclate de rire malgré lui. Il me passe un bras autour des épaules et m'embrasse, en pleine rue ! Une audace finalement bien dérisoire à côté de mon terrible mensonge.

Le forgeron continue de frapper sur son enclume, scellant notre destin.

Je devrais en vouloir à Maria de m'avoir obligée à recourir à de tels expédients, et pourtant je lui suis reconnaissante, infiniment reconnaissante de m'avoir libérée du devoir conjugal. J'ai supporté les assauts de mon mari durant trois ans, et je les aurais vraisemblablement supportés jusqu'à sa mort ; mais depuis que j'ai rencontré mon amant, Cornelis me répugne : son haleine fétide, ses doigts froids et indiscrets me donnent parfois l'impression d'avoir été violée. Pire encore, j'ai le sentiment de n'avoir été qu'une putain entre ses bras.

Par bonheur, une solution s'est présentée à moi, une solution qui va également profiter à Maria. De toute façon, bien qu'elle ait cherché à abuser de la situation, je tiens à elle. Elle est ma seule amie et je suis heureuse de pouvoir la sauver du déshonneur et de la misère.

Que se passera-t-il ensuite ? Ni elle ni moi n'y songeons, car nous sommes jeunes et impulsives. Dans l'immédiat, nous n'éprouvons pas plus de remords que deux écolières qui auraient réussi à jouer un bon tour à leur maître d'école.

Sommes-nous aveugles ? Intrépides ? Non, simplement amoureuses, éperdument amoureuses. Et l'amour, comme vous le savez, est une forme de folie.

Maria et moi sommes en train de faire le lit de Cornelis dans la chambre de cuir. Celle-ci lui sert parfois de cabinet de travail. Il y fait froid mais pas vraiment plus que dans le reste de la maison. Les murs sont tendus de cuir damassé et ornés de sombres tableaux : des paysages de Hans Bols et de Gillis Van Coninxloo. Il y a aussi un gros vaisselier plein de porcelaine de Chine.

Tandis que nous retapons les oreillers, Cornelis entre.

— C'est un petit prix à payer, dit-il en caressant sa barbe.

Il a l'air tellement heureux que mon cœur se serre dans ma poitrine.

— Laissez Maria s'occuper de cela, poursuit-il. Il faut vous ménager dorénavant.

Brusquement, Maria se prend l'estomac à deux mains en réprimant un haut-le-cœur. Elle sort en courant.

Je m'empresse de la suivre dans ce qui est désormais ma chambre à coucher privée. Maria se saisit du pot de chambre juste à temps et vomit bruyamment. Je me place derrière elle et lui tiens la tête tout en lui caressant le front.

Lorsqu'elle a fini, un coup résonne à la porte.

— Est-ce que tout va bien, très chère ? s'enquiert Cornelis.

Maria et moi échangeons un coup d'œil. Sans perdre une seconde, elle me met la cuvette entre les mains.

Cornelis entre et regarde vers le récipient ; une odeur infecte s'en échappe.

— Ma pauvre petite.

— C'est naturel les premiers mois. Ce n'est qu'un petit prix à payer, dis-je pour le rassurer.

Juste au moment où je m'apprête à sortir pour aller vider le pot, il m'arrête.

— C'est à la servante de faire ça, glapit-il en foudroyant Maria du regard. Maria !

Cette dernière me prend aussitôt la cuvette des mains et l'emporte au rez-de-chaussée.

Et c'est ainsi qu'a commencé la période la plus étrange de ma vie. Quand je regarde en arrière, je vois une femme emportée comme une frêle brindille par un tourbillon. Elle est encore trop jeune pour savoir où le courant l'entraîne, trop aveuglée par la passion pour penser au lendemain. Quelqu'un risque de la trahir ; elle le sait. Elle sait aussi qu'elle risque de se trahir elle-même. Car Dieu, qui l'observe, est celui qu'elle a trahi le plus gravement. Mais elle préfère ne pas y songer. Pas maintenant. Pas encore.

Je me suis inventé un médecin, un homme qui m'a été recommandé par mon professeur de chant, que Cornelis n'a jamais rencontré. Mon époux s'inquiète beaucoup de ma santé. Il aurait préféré que je sois suivie par son médecin personnel, mais j'ai réussi à l'en dissuader. Il dit amen à tous mes caprices et se met en quatre pour me contenter. Il me traite comme si j'étais un de ses précieux bibelots en porcelaine de Chine.

Tout au long de ces premières semaines, Maria a des envies de clou de girofle. Je simule les mêmes auprès de Cornelis. Il m'apporte alors du massepain parfumé au clou de girofle, que Maria dévore à l'office. Il ordonne à celle-ci de préparer de l'*hippocras*, du vin parfumé aux épices, et me regarde le boire d'un œil attendri, tandis que, seule à la cuisine, Maria en boit la lie.

A force de jouer la comédie, je finis par me prendre au jeu. Après tout, ne suis-je pas une femme ? N'ai-je pas été créée pour enfanter ? Depuis

131

l'enfance, on n'a cessé de me le répéter. Après trois ans de mariage, ma condition présente me semble si naturelle que j'arrive presque à me convaincre que je suis réellement enceinte. A mesure que passent les semaines, je découvre que je suis capable de me leurrer moi-même. Cela, en soi, n'a rien de surprenant, car étant devenue adultère j'ai appris à tricher. Je joue la comédie dans le plus dangereux des théâtres : ma propre maison. Et je n'ai pas encore entamé la scène de la duperie absolue, celle où je vais devoir attacher un coussin sous ma robe. Jusqu'ici, ma grossesse fantôme n'était qu'une abstraction, limitée à des nausées et à des envies de clous de girofle.

Maria et moi sommes devenues très proches, plus proches que je ne l'ai jamais été avec mes sœurs, proches d'une façon que personne ne peut comprendre. Jan est le seul à connaître notre secret. Quand Maria est prise de vomissements, non pas le matin mais plus tard dans la journée, je me précipite à la cuisine pour lui tenir le front. Je me sens responsable de ses malaises comme si je les avais provoqués moi-même. C'est moi qui devrais souffrir. D'ailleurs, je me sens nauséeuse, moi aussi.

Elle porte mon enfant, c'est là le secret qui nous lie. Un secret bien gardé par les murs de cette maison silencieuse. Nos seuls témoins sont les personnages figurant sur les tableaux accrochés aux murs : le roi David, un paysan levant une chope, Cornelis et moi posant dans notre vie antérieure. Ce sont nos complices muets.

Lorsque nous sommes seules, nos rôles s'inversent : je deviens la servante et elle la maîtresse. Quand elle est fatiguée, c'est moi qui la couche dans son lit encastré dans le mur, moi qui astique les chaudrons et balaie les épluchures avant le retour de mon époux.

— Surtout insistez bien sur les chandeliers, ordonne-t-elle. Il a l'œil.

En revanche, aux yeux du monde extérieur, elle continue d'être ma servante et moi l'épouse enceinte. Cornelis, le futur père, a répandu la nouvelle auprès de nos amis et connaissances. J'accepte leurs félicitations en rougissant. Notre voisine, Mme Molenaer, m'a apporté une infusion pour soulager ma nausée.

— Dans trois mois cela cessera, dit-elle. C'est toujours ainsi au début.

Je donne la potion à Maria. Celle-ci ne fait qu'empirer son mal. Plus tard, Mme Molenaer me demande si je vais mieux.

— Oh oui, affirmé-je, tandis que Maria, le visage couleur de cendre, nous sert des pâtisseries.

Mais personne ne fait attention à la servante.

— Quand le jour béni de la délivrance doit-il avoir lieu ? demande Mme Molenaer.

— En novembre.

— Votre maman vit à Utrecht, si j'ai bonne mémoire. Elle doit se réjouir de la bonne nouvelle.

— En effet, elle est ravie.

— A-t-elle l'intention de venir vous assister lors de l'accouchement ?

— Ma mère est souffrante. Je doute qu'elle puisse faire le voyage.

Pourquoi tant de questions ? Je suis dans mes petits souliers. Une femme enceinte est au centre de l'attention ; j'espère que cela ne va pas durer. J'ai le sentiment d'avoir triché, comme si j'avais copié les rimes d'une autre et reçu les lauriers à sa place. J'ai besoin de toute mon énergie pour garder la tête

133

froide. Prenez ma famille, par exemple. Cornelis croit que j'ai écrit à ma mère pour lui annoncer la nouvelle. Lâchement, j'ai repoussé la chose à plus tard. Si bien que je vais devoir prétendre, un jour ou l'autre, que j'ai reçu une réponse. Et bientôt mon époux va s'attendre à ce qu'une de mes sœurs vienne me rendre visite. Après tout, Utrecht ne se trouve qu'à une quarantaine de kilomètres. Par bonheur, il passe presque toutes ses journées à l'entrepôt. J'inventerai une visite pendant qu'il est au travail.

L'idée que Maria porte mon enfant me procure une sensation étrange. J'ai l'impression d'être entrée moi aussi dans le monde de la maternité. A présent, je remarque les enfants qui jouent dans la rue et les couve d'un regard maternel. Dans notre pays, il est d'usage de témoigner de l'affection aux enfants, au point que les étrangers jugent notre indulgence excessive. Plutôt que de les confier aux soins d'une gouvernante, nous autres, parents hollandais, préférons les élever au sein de la famille. Le soleil du matin darde ses rayons sur les maisons qui se trouvent de l'autre côté du canal. Une femme sort dans la rue avec son enfant. Elle le regarde faire ses premiers pas sous les arbres qui bordent le trottoir. La vie bourgeonne. La femme prend son enfant dans ses bras et tourne avec lui en riant. Mon cœur se serre. Elle est mon double fantôme. Car telle est la vie, désormais perdue, que j'aurais dû mener au côté de mon mari. L'eau traîtresse du canal nous sépare et je ne puis l'atteindre.

— Dieu que c'est lourd !

Maria essaie de soulever un seau plein de tourbe. Je le lui prends des mains. Elle s'esclaffe. Je vois bien qu'elle profite de la situation, mais je ne lui en tiens pas rigueur. Il ne faut surtout pas qu'elle perde l'enfant. Elle n'est suivie par aucun médecin ; je suis la seule à veiller sur elle. Et, alors que je suis au centre de toutes les attentions, elle doit se débrouiller toute seule. Et c'est aussi elle qui devra supporter les affres de l'accouchement. Parfois, trop préoccupée par mes propres mensonges, il m'arrive de l'oublier. Nous courons l'une et l'autre un grave danger, mais elle seule va souffrir.

Je vide le seau dans le coffre à tourbe placé à côté de l'âtre. J'ai mal aux bras ; c'est une rude besogne que d'être servante.

— Touchez mes *tieten*, ils sont de plus en plus gros.

Maria est enceinte de deux mois à présent. Ignorant ma gêne, elle me saisit la main et la place sur sa poitrine. Je n'ai jamais touché ses seins auparavant, si bien que je ne saurais dire s'ils ont grossi ou non. En outre, c'est une fille naturellement planctureuse.

— Un peu plus bas dans la rue, des cigognes ont fait leur nid sur une cheminée, dit-elle. C'est bon signe.

Maria boit une décoction d'urine et de bouse de vache qu'elle achète à une vieille femme au marché. Elle a des superstitions de fille de la campagne. Autour du cou, elle porte un charme pour éloigner la fièvre : une coquille de noix à l'intérieur de laquelle est enfermée une tête d'araignée. Jadis, ce détail m'aurait fait sourire, car je viens d'une famille bourgeoise et éduquée. Chez nous, on se moquait de ce genre de pratique. Mais depuis peu, Maria a réussi à m'entraîner dans son monde. J'ai envie de croire à sa magie ; en effet seul un miracle pourrait nous sauver.

Nous sommes en mai. Les soirées sont douces. Les jours de chaleur, le canal empeste, mais malgré cela l'air embaume. Les tulipes du jardin sonnent leurs trompettes silencieuses ; droits comme des fers de lance, les iris déploient leurs corolles. Même la maison semble porter un embryon de vie nouvelle. Le luth de Cornelis, suspendu au mur, est rebondi comme un fruit mûr. Sur les étagères de la cuisine, les grosses jarres ventrues semblent nous narguer.

Libérée des étreintes de Cornelis, ma passion pour Jan ne cesse de grandir. Je m'abandonne à lui de toute mon âme. Je pousse même la hardiesse jusqu'à lui rendre visite en plein jour. Naturellement, je prends des précautions, je m'assure que personne ne me voit sortir, et je cache mon visage sous un capuchon. Mais mon stratagème m'a rendue intrépide. Un gros mensonge, et voilà que j'ai franchi le seuil d'un autre monde. Est-ce là ce que ressent un criminel qui a tué pour la première fois ? Et le plus incroyable, c'est que je ne me suis pas fait prendre ! Personne ne m'a encore démasquée. De toute façon, il est trop tard pour revenir en arrière, je suis emportée par l'élan de mon crime. Je suis grisée par l'abject succès de mon entreprise.

Jan a enfermé son apprenti dans la cuisine, où il lui a composé une nature morte, un *ontbijtje*, ou table du petit déjeuner : un jambon à demi entamé, un pot de moutarde en grès, quelques grappes de raisin. Jacob veut y ajouter un papillon, pour symboliser la légèreté de l'âme, une fois soulagée de la tentation de la chair.

— Contente-toi de peindre un petit déjeuner, dit Jan.

— Et si j'ajoutais un citron pelé, si beau et pourtant si amer en dedans ?

— Tiens-t'en à ce que tu vois sur la table, ordonne Jan. Regarde le brillant du raisin. N'est-ce pas assez ? Trouve la beauté dans ce que tu vois, et non pas dans ce qu'elle peut nous enseigner.

Jacob est un jeune homme fervent. Comment pourrait-il détacher les objets des enseignements qu'ils contiennent ? Peindre la beauté terrestre, sans rien d'autre, revient pour lui à nier l'existence de Dieu. Il a deviné qu'une idylle s'était nouée entre Jan et moi et que je suis une femme mariée. Mais que dirait-il s'il apprenait toute la vérité ?

Jan referme la porte sur son élève. Il va faire mon portrait. Il a terminé *La Lettre d'amour*, que j'ai rapporté à la maison en secret et caché dans le grenier. C'est une lettre que je ne déchirerai jamais. A présent, il me peint nue. J'ôte mes effets, comme les peaux successives d'un oignon, mais les larmes qui brillent dans mes yeux sont des larmes de joie.

— Si tu savais comme je t'aime, dis-je, étendue sur le lit. Quand je vois un poireau, j'éprouve un pincement au cœur. Sais-tu pourquoi ?

— Pourquoi, ma bien-aimée, ma toute belle ? Remonte un peu ton bras. Voilà, comme ceci.

— Parce que j'étais en train de manger de la soupe aux poireaux quand j'ai entendu prononcer ton nom pour la première fois.

— Oublie ton mari, Sophia, et viens vivre avec moi.

— Comment pourrais-je quitter mon mari alors que je porte son enfant ? dis-je en riant.

Jan est scandalisé. Comment puis-je me conduire avec une telle désinvolture ?

— Tôt ou tard tu seras démasquée, ce n'est qu'une question de temps.

— Et pourquoi serais-je démasquée ?

137

— Que se passera-t-il quand l'enfant sera né ? Vas-tu faire croire que c'est le tien et continuer à vivre avec ton mari ?

C'est une idée qui m'insupporte. Je ne veux pas penser à l'avenir.

— Qu'allons-nous devenir ? demande-t-il.

— Si je m'enfuis avec toi, il découvrira la super-cherie. Et d'ailleurs où irions-nous ? Nous ne pouvons pas rester ici et, si nous partions nous installer dans une autre ville, tu ne pourrais pas travailler, car ta guilde te l'interdit.

En effet, afin de protéger ses compagnons, la guilde de Saint-Luc est fermée aux peintres originaires des autres villes ; ceux-ci ne sont autorisés à vendre leurs œuvres qu'après avoir séjourné plusieurs années au même endroit. A présent, c'est au tour de Jan de se montrer intrépide.

— Nous quitterons le pays. Nous rallierons les Indes orientales.

— Les Indes orientales ?

— Nous nous enfuirons et nous recommencerons une nouvelle vie. Nous irons au bout du monde, là où personne ne peut nous rattraper, dit-il en me prenant dans ses bras. Ma bien-aimée, comme nous serons heureux !

Ainsi la graine est semée. Jan parle de soleil et de ciel bleu.

— Les montagnes ! s'exclame-t-il. Non, mais est-ce que tu peux te représenter les montagnes ? Et les arbres remplis du caquet des perroquets ! Le soleil toute l'année ! Nous n'aurons pas besoin d'argent, d'ailleurs l'argent ne fait pas le bonheur. Nus comme au premier jour, nous vivrons sous les palmiers et j'enduirai ton corps sublime de myrrhe.

Tout ceci n'est encore qu'un rêve, aussi lointain et exotique que les gravures de mon père. Trop d'obstacles nous barrent la route. Je regarde Jan, son visage exquis, ses cheveux en bataille, son béret de velours rouge vissé sur sa tête, ses bottes éculées, son pourpoint taché de peinture. J'essaie de me le représenter parmi les palmiers, mais mon imagination refuse de m'obéir. Il y a trop d'océans à franchir.

Pendant ce temps, il continue de peindre : *Femme étendue sur un lit*. Je grelotte de froid. Il peint vite, sur un panneau de bois. Il me regarde comme on regarde un objet, avec ce même regard concentré et impersonnel qu'il avait la première fois, quand il a fait mon portrait. Mais, lorsque nous parlons, son visage se radoucit, il redevient lui-même. Dans ses yeux, une sorte d'amour vient en remplacer une autre.

Au-dehors s'étire la ville bruyante : des cloches sonnent, des chevaux hennissent, des charrettes cahotent bruyamment sur le pavé. A l'intérieur, tout n'est que silence et concentration. L'eau du canal jette sur les murs des reflets changeants. Ils dansent comme mon cœur. Je suis étendue parmi les oreillers sur le lit où j'ai connu un bonheur tel que je ne l'aurais jamais cru possible. Mon cœur déborde de joie. Je vais quitter mon époux pour suivre Jan. J'y songe depuis déjà plusieurs semaines. Je l'ai su dès l'instant où il est entré dans ma maison.

— Quoi qu'il arrive plus tard, ce tableau ne mentira pas, annonce-t-il alors. Il dira la vérité.

29

Le Tableau

Afin de bien mettre en valeur un objet unique
Il convient de l'entourer de divers accessoires
Qui en feront ressortir la beauté intrinsèque
Car il n'est pas d'art sans artifice.

S. Van Hoogstraeten, 1678

Non loin de là, dans sa maison de Jodenbreestraat, Rembrandt est lui aussi en train de peindre une femme. Les rideaux du lit ont été tirés de façon à révéler Danaé, entièrement nue et parée de bracelets, voluptueusement étendue parmi des coussins. Elle attend que Zeus vienne la rejoindre sous la forme d'une pluie d'or.

Tout, dans cette toile, est nimbé d'or : les rideaux du lit, le chérubin éploré, la peau nue de la jeune femme. Mais où est la pluie divine ? Est-il possible que cet amant empressé soit un dieu ? Il ressemble davantage à une vieille servante.

Aujourd'hui, la toile figure au musée de l'Hermitage ; c'est le plus beau nu que le maître ait jamais peint. Mais s'il ne s'agit pas de Danaé, qui est-ce ? Elle fut tour à tour *Rachel attendant Tobias, Vénus attendant Mars, Dalila attendant Samson* et *Sarah attendant Abraham.*

A l'époque, Rembrandt était profondément épris de sa jeune épouse, Saskia. Est-il possible que cette femme éblouissante de désir ne soit qu'une épouse ordinaire attendant son mari ?

La même année, en 1636, Salomon Van Ruysdael peignait *Vue de la rivière avec bac.* On y voit un troupeau de bœufs mené au bac ; le ciel se reflète à la surface immobile de l'eau. Ici, nulle allusion mythologique ; on ne nous montre pas des âmes franchissant le Styx, mais des bœufs traversant paisiblement une rivière pour aller paître sur l'autre rive. Le tableau ne contient d'autre histoire que celle qu'il représente.

Pendant ce temps-là, à Haarlem, Pieter Claesz peint *La Collation* : un hareng sur un plat d'étain, un petit pain brisé, quelques miettes. Une toile à la beauté transcendante, dépourvue de tout enseignement. L'art pour l'art.

Les peintres sont des artisans comme les autres. De simples commerçants. Les tableaux traitant de grands thèmes historiques ou religieux sont les plus estimés. Viennent ensuite les paysages et les marines, dont le prix varie selon qu'ils comportent plus ou moins de détails. Arrivent ensuite les portraits et les scènes de genre : scènes de réjouissances, scènes d'intérieur ou de taverne. Et, pour finir, les natures mortes.

Le tableau de Jan n'a pas de valeur marchande, car, n'étant pas à vendre, il n'appartient à aucune catégorie. Le peintre travaille vite, à touches énergiques et décidées ; Sophia va bientôt devoir partir et il veut la saisir dans l'instant. De plus, il fait froid et elle grelotte de la tête aux pieds.

Des siècles plus tard, la toile sera exposée au Rijksmuseum. Les experts se querelleront à propos de l'identité de la jeune femme. S'agit-il de Vénus ou de Dalila ? On publiera des articles traitant de la place qu'elle occupe dans l'œuvre de Van Loos. Les gens ordinaires, quant à eux, se demanderont : « Qui était-ce ? » La maîtresse du peintre ? Un modèle ? Non, pas un modèle, car il y a dans ses yeux la flamme de l'amour.

Le tableau resté sans titre sera simplement baptisé *Femme étendue sur un lit*. Parce que c'est au fond ce qu'il représente.

30

CORNELIS

N'oublie pas que tu procrées non seule-
ment pour toi, mais pour ta patrie, et que
tes enfants ne sont pas venus en ce monde
uniquement pour te procurer bonheur et
joie, mais également pour œuvrer et contri-
buer à la prospérité de tous.

Le Cabinet de l'homme chrétien,
Bartholomew Batty, 1581

Cornelis est descendu à la cave. C'est ici qu'on remise le bois de chauffage et la tourbe, ainsi que divers objets usagés. Comme il fait sombre, il s'éclaire avec une lampe à huile. L'été, la maison tout entière est ombragée par un grand tilleul au feuillage luxuriant. On est en juillet, et le ventre de Sophia commence à s'arrondir. Elle est enceinte de cinq mois. Hier, lorsque Cornelis a tendu la main pour lui toucher le ventre, elle s'est reculée en s'écriant :

— Il ne remue pas encore.

Elle est si jeune, comment pourrait-elle comprendre qu'il s'inquiète ? Dieu la préserve de jamais savoir ce que c'est que de perdre un enfant. Elle sait qu'il a perdu les siens, naturellement, mais la jeunesse n'envisage jamais le pire. C'est sa confiance aveugle en l'avenir qui fait sa force. Lui, en revanche, voudrait s'assurer qu'il y a un enfant vivant sous la robe de sa femme ; il éprouve le besoin de le sentir bouger. Car, par le passé, Dieu lui a donné cette joie, puis la lui a reprise brutalement.

Cornelis fait jouer la serrure d'un coffre en bois de teck plaqué de cuivre provenant des Indes orientales. Il ne l'a pas ouvert depuis des années. Ce coffre appartient à une autre vie. Il en soulève le couvercle et jette un coup d'œil à l'intérieur. Il contient des vêtements d'enfants. Il prend les minuscules chemises et les pourpoints dans ses mains, puis presse la casaque de velours de Pieter contre ses narines. L'odeur de son fils en a disparu depuis longtemps.

« Voici votre enfant, lui avait dit la sage-femme en plaçant le bébé entre ses bras. Que notre Seigneur vous donne par lui beaucoup de bonheur, ou qu'il le rappelle à lui bientôt... » L'odeur du vin chaud, la tête humide de son fils, son épouse se restaurant d'une collation de pain beurré et de fromage de brebis.

Comme il était heureux ! Un fils ! Un héritier ! Que de réjouissances, ce soir-là ! Il avait dit ses grâces — « Soyez trois fois loué, ô notre Père miséricordieux... » — et embrassé sa femme. Après quoi il avait coiffé le bonnet de satin orné de plumes réservé aux pères de famille. Le pays tout entier avait droit à sa gratitude. Car cette naissance, arrachée à l'océan, bénie de Dieu, n'était-elle point miraculeuse ? Constantijn Huijgens, poète et humaniste, secrétaire du stathouder — un homme tenu en très haute

144

estime par Cornelis —, disait de leur pays : « La bonté du Seigneur y rayonne du haut de chaque dune. »

Dans un recoin obscur, on distingue vaguement la chaise avec laquelle ses fils avaient appris à marcher : une pyramide de bois montée sur roulettes. Recouverte de poussière, elle n'est plus désormais qu'un objet ordinaire. Quel bonheur c'était de les regarder tricoter des jambes pour s'élancer d'une pièce à l'autre, puis s'arrêter net au pied de l'escalier ! Dans quelques mois, Cornelis entendra de nouveau le bruit des roulettes crissant sur le carrelage.

Il commence à trier la layette et, bien qu'il s'agisse d'une besogne de femme, il prend plaisir à s'en acquitter. Jamais il n'aurait pensé rouvrir un jour ce coffre. Sophia en ignore l'existence. Il va dire à Maria de laver les chemises et de rafraîchir les habits, puis de les ranger dans l'armoire à linge afin qu'ils soient prêts le moment venu.

Tandis qu'il remonte de la cave avec son précieux fardeau, des voix lui parviennent de la pièce de devant. Il entre.

La scène qui s'offre à lui est pour le moins inattendue. Maria est allongée sur la banquette, juste sous la fenêtre, et une bohémienne se tient penchée au-dessus d'elle.

Sophia se retourne d'un bond en écarquillant les yeux, l'air épouvanté.

— Oh, mon Dieu ! s'écrie-t-elle. J'ignorais que vous étiez dans la maison. Nous avons rencontré cette femme au marché. Elle peut prédire s'il s'agit d'un garçon ou d'une fille.

Rouge de confusion, Maria se relève précipitamment.

— Je vous demande pardon, Monsieur, dit-elle avant de se tourner vers Sophia. Continuez, Madame.

Sophia prend place sur la banquette, et la bohémienne brandit un fil muni d'un anneau qu'elle balance au-dessus de son ventre.

— S'il tourne dans le sens des aiguilles d'une montre, c'est un garçon ; dans le sens contraire, c'est une fille, explique Sophia.

— Ne bougez pas ! ordonne la bohémienne.

Quelques instants se passent, puis l'anneau se met à osciller lentement sous leurs yeux fascinés.

— C'est un garçon, déclare la bohémienne.

Sophia se redresse et échange un regard surpris avec Maria. Pourquoi ? La domestique a posé une main devant sa bouche. Cornelis sourit d'un air affable. Après tout, ce ne sont là que des jeux innocents de jeunes femmes. Sophia et sa servante sont devenues inséparables ces temps-ci, elles ne cessent d'échanger des messes basses. La grossesse, il l'a constaté, renforce les liens entre les femmes. Néanmoins, il regrette que son épouse n'ait pour confidente qu'une simple bonne ; une femme de sa qualité eût été plus appropriée.

Cornelis paie la vieille femme qui s'éclipse aussitôt.

« C'est un garçon. » Malgré sa méfiance à l'égard des bohémiens, Cornelis a envie d'y croire. Il se tourne vers son épouse, mais celle-ci a disparu. Il entend le claquement de ses pantoufles à l'étage. C'est étrange ; il ne la croyait pas superstitieuse. Décidément, les femmes enceintes se comportent de façon bien singulière. Il n'a cependant pas souvenance que sa chère Hendrijke ait agi ainsi.

Cornelis serre les petits effets contre son cœur en souriant avec indulgence. C'est un garçon. Il l'a toujours su.

— Vous n'avez pas oublié, très cher, que je vais voir ma mère, demain, à Utrecht ?

— Je vous accompagne, dit Cornelis.

— Non, se récrie Sophia. Je ne serai partie que deux nuits, et d'ailleurs vos affaires vous réclament. La cargaison que vous attendez ne doit-elle pas arriver demain d'Angleterre ?

— Mais dans votre état...

— Ce n'est qu'un petit voyage. Je vous en prie, mon cher époux, c'est une affaire de femmes. Ma mère et moi... nous voyons si rarement... Nous avons tant de choses à nous dire. De plus, sa petite santé ne lui permet guère de recevoir de la visite. Je préfère y aller seule.

Cornelis consent à contrecœur, vexé que sa femme puisse supporter le voyage jusqu'à Utrecht, alors qu'elle ne supporte pas de l'avoir à côté d'elle dans le lit. Elle se refuse même à ce qu'il la voie nue. Sa pudeur a pour lui quelque chose d'humiliant ; il se sent exclu. Comme il aimerait pourtant pouvoir la toucher !

Sophia caresse la barbe de son mari. Elle sait qu'il aime ce geste.

— Je vous ai préparé votre *hutspot* préféré, murmure-t-elle. Avez-vous senti la bonne odeur ?

— Vous ne souffrez plus de nausées ?

Elle secoue la tête.

— Je me sens beaucoup mieux.

C'est pourtant vrai qu'elle est en beauté ! Elle a une mine resplendissante, des yeux pétillants.

— Mouton, chicorée, artichauts, pruneaux... Tout ce que vous aimez... mijotés ensemble avec du jus de citron et du gingembre.

147

Malgré les efforts de son épouse, Cornelis semble toujours de mauvaise humeur.

— Pourquoi ne mangeons-nous plus de poisson ? demande-t-il d'un ton irrité. Vous savez que j'aime ça. Or voilà des semaines que nous n'en mangeons plus.

— C'est vous-même qui m'avez dit que vous étiez las du poisson. Vous avez même dit qu'il finirait par nous pousser des nageoires.

— C'était une boutade.

— De toute façon, je n'aurais pas pu le cuisiner. L'odeur du poisson me soulève le cœur.

Elle l'embrasse, puis se dirige en fredonnant vers la cuisine. Les clefs suspendues à sa ceinture rendent un joyeux tintement. Les femmes sont décidément des créatures imprévisibles. Qui eût pensé qu'une simple visite à sa mère la mettrait ainsi en joie ? Il faut dire qu'elle est sujette aux brusques changements d'humeur. Récemment, lorsqu'il lui a proposé d'engager un autre domestique, elle a répondu d'un ton cassant :

— Je me débrouille très bien ainsi. Maria me suffit amplement.

— Cette maison est trop grande pour une seule servante, lui avait-il fait remarquer non sans raison.

— Je ne veux pas d'un homme dans la maison, pas dans mon état. Attendons d'abord que le bébé soit né.

Après tout, n'est-elle pas la mère de son enfant ? Il l'aime de tout son cœur et est prêt à lui passer tous ses caprices. Comme il fait beau ce soir, Cornelis décide de sortir fumer sa pipe sur le pas de la porte. Le soleil darde ses rayons à travers le feuillage du tilleul, éclaboussant la façade de taches de lumière. Son voisin, M. Molenaer, est également sorti. Il le salue d'un sourire. Confortablement assis sur le banc de pierre, Cornelis commence à lire sa gazette. Il y est question des sombres manigances de Louis XIV. Dieu, que la cour de France est corrompue et que les Espagnols sont des gens vénaux ! Ici, dans la chaude lumière du crépuscule, tout est paisible. D'autres familles sont sorties prendre l'air. Les enfants jouent assis par terre aux pieds de leurs parents. Maria paraît, un seau d'immondices à la main. Elle le vide dans le canal. Que cette fille a l'air grasse et en bonne santé ! Si, dans les autres pays, on traite les servantes en esclaves, ici, dans cette cité des lumières, on les considère comme des membres de la famille à part entière. A la cuisine, il entend Sophia et Maria qui rient et s'amusent comme deux sœurs. Si cela les rend heureuses, pourquoi n'auraient-elles pas leurs petits secrets ?

L'esprit de Cornelis se met à vagabonder. Il pense à Sophia et à ses sœurs. Les pauvrettes étaient dans la gêne, il y a cinq ans, lorsqu'il a fait leur connaissance. Peu de temps avant sa mort, leur père avait fait faillite. Les huissiers avaient confisqué sa presse et une partie de ses meubles ; les étages supérieurs de la maison avaient été loués. Les filles et leur mère devaient donc se contenter des deux pièces du rez-de-chaussée, et vivaient chichement de travaux de couture.

Un collègue de Cornelis, un homme avec qui il traitait à Utrecht, avait organisé une entrevue. Cornelis était alors un riche veuf à la recherche d'une épouse, et il y avait là trois jeunes filles en âge de se marier. Sophia, l'aînée, lui avait servi des petits pains aux épices. Comme elle était belle ! Timide et modeste, certes, mais néanmoins instruite, car elle avait grandi parmi les livres. Elle connaissait les

149

maîtres anciens et ce jour-là, il s'en souvient, ils avaient discuté des qualités respectives du Titien et du Tintoret.

Combien de choses il pourrait lui apprendre ! Sophia était d'argile, prête à être modelée par ses mains expertes ; elle était la terre féconde qui attend d'être ensemencée pour donner ses plus beaux fruits. Et elle avait répondu à ses avances. Timidement d'abord, puis avec un empressement certain lorsqu'il lui avait proposé de faire une promenade en voiture. Cornelis se souvient de ce jour dans ses moindres détails ; le passé, même proche, lui semble plus vivant que le présent.

Ils étaient allés se promener dans la campagne. Penchée à la fenêtre, Sophia admirait le paysage, le bétail paissant dans les prés, la rangée de saules, comme une enfant qui découvre le monde pour la première fois. Elle était la fille qu'il n'avait jamais eue. Il était fasciné par la peau veloutée que l'on devinait sous ses cheveux relevés en chignon et brûlait d'envie de la caresser du bout des doigts. Il s'était senti submergé par une vague de désir. Une « fraîche conversation », c'est ainsi qu'il désignait ses rapports intimes avec sa première femme. Un réconfort mutuel, bon enfant. Mais avec Sophia il en allait tout autrement. Il éprouvait le besoin de protéger cette jeune fille, et de la posséder ! Son cœur en était tout chaviré.

Sous le ciel bleu, immense, où les nuages s'amoncelaient, on avait mis des draps à blanchir. Des bandes blanches parfaitement symétriques s'étiraient à perte de vue dans les champs. Par instants, le soleil sortait de derrière les nuages. Au loin, des silhouettes courbées en deux continuaient d'étendre du linge.

— Regardez, on dirait que la terre est blessée et qu'on l'a enveloppée de compresses, avait dit Sophia.

Cornelis avait alors éprouvé un pincement au cœur et compris qu'il était amoureux.

Le soleil commence à décliner. Les pignons des maisons d'en face se découpent sur le ciel comme des mâchoires. Cornelis se relève en frissonnant. Il se rappelle le linge étendu dans les champs. A présent, le monde entier lui est aussi cher et précieux que son propre enfant. Les draps mis à blanchir sont des langes prêts à envelopper son fils et à le protéger. Sa foi lui a été rendue. Dieu a finalement entendu ses prières.

Voilà une pensée réconfortante. Mais alors pourquoi se sent-il si inquiet ?

31

SOPHIA

Conduis-toi en toute occasion avec la même prudence que si tu étais épié par dix yeux et montré par dix doigts.

Confucius

« Je veux te sentir rêver entre mes bras. » La lettre de mon amoureux est gravée dans mon cœur. Jan écrit comme un enfant, car étant artisan il n'est guère instruit. Pour moi, les mots d'amour seront à jamais écrits d'une main malhabile.

Nous allons passer non pas une, mais deux nuits ensemble ! C'est dire combien je l'aime. J'ai dit à mon époux que je me rendais à Utrecht. Entre-temps, j'ai écrit à ma mère pour l'informer de mon état. Elle et mes sœurs auront hâte de me voir. Je me sens horriblement coupable de les avoir trahies. Tôt ou tard, il va falloir que je me décide à leur rendre visite, sans quoi je finirai par éveiller leurs soupçons. Ma sœur cadette, Catharijn, me connaît d'ailleurs trop bien pour ne pas se douter qu'il y a anguille sous roche.

« Viens me rejoindre ce soir et passons la nuit ensemble. » Je n'arrive pas à y croire. Dans la journée, quand je passe le voir à l'atelier, nous ne sommes jamais seuls ; il y a son apprenti et parfois son domestique. Une fois, nous avons même été dérangés par un homme qui souhaitait voir les œuvres de Jan. J'ai dû me cacher derrière les rideaux du lit. Quant à venir le retrouver le soir, même lorsque mon époux est sorti, c'est trop risqué, car nous sommes en été, et il fait encore jour à neuf heures. J'ai perdu mon alliée, l'obscurité, qui m'enveloppait de son immense cape noire plus efficacement que ma propre pèlerine. Et même quand je parviens à me faufiler jusqu'à son atelier, nous ne pouvons guère passer plus d'une heure ensemble. A dix heures, le guetteur de nuit fait sonner sa trompette, invitant ceux qui sont encore dehors à regagner leur logis. Comme cette nation est vertueuse et industrieuse ! Le signal donné, tout le monde est couché, époux et épouses fidèles ensemble. Cette cité n'est pas faite pour les amoureux, car ceux qui s'attardent dans les rues à la nuit tombée sont suspects.

Nous sommes en milieu de matinée. Cornelis est au travail quand je quitte la maison. J'ai caché au grenier les présents qu'il m'a remis pour ma famille. Une tromperie qui, curieusement, me donne aussi mauvaise conscience que mon horrible stratagème.

Je me signe, en priant le ciel pour ne pas faire de mauvaises rencontres en route. Les flots secoués par la tempête ne recèlent pas plus de dangers que ces rues inondées de soleil. Plutôt braver une flotte entière armée de canons que de rencontrer une seule de mes voisines se rendant au marché.

Le temps s'étire et se contracte. Tantôt nous le gardons précieusement comme un trésor, tantôt nous le regardons s'éparpiller devant nous comme des miettes de pain s'envolant d'une nappe qu'on secoue. Le temps brise nos rêves lorsque le veilleur de nuit agite sa crécelle et nous réveille en sursaut. Puis le silence nous enveloppe à nouveau. Quand je suis seule à la maison, j'ai l'impression que le temps ralentit ; les minutes semblent s'étirer à l'infini.

En revanche, quand je suis avec Jan, je supplie le temps de suspendre son cours. Comment est-il possible que le sable s'écoule aussi vite ? Et pourtant, d'une certaine manière, je sais que les instants passés ici n'auront pas de fin ; ils resteront à jamais gravés en moi. Dernièrement, la course du temps s'est accélérée et semble aller de plus en plus vite à mesure que nous approchons du mois de novembre. Aujourd'hui, tout cela paraît irréel. En novembre, nous sortirons au grand jour pour prendre notre envol, et cependant je n'arrive pas à m'imaginer en train de battre des ailes.

Mais dans l'immédiat le temps semble s'être arrêté. Jan et moi avons passé la journée au lit, et je n'ai pas la moindre idée de l'heure. Dehors, les bruits de la rue me paraissent lointains, comme venus d'un autre pays. Jan a renvoyé Jacob chez lui et donné sa journée à Gerrit. Il a fait des provisions afin de tenir le siège de l'amour.

Mon coussin gît à terre parmi mes effets éparpillés. C'est un petit coussin de velours vert que j'ai pris dans la bibliothèque. Je ne suis enceinte que de cinq mois. Quand je le vois ainsi, détaché de mon corps, il me semble soudain très banal. Je me suis habituée à mon petit complice, mon enfant fantôme.

— Je vais bientôt devoir prendre un coussin plus gros, dis-je soudain.

— Qu'allons-nous faire, Sophia ? Il est temps de prendre une décision.

— Vis dans l'instant ! m'exclamé-je sur le ton de l'insouciance. Ne l'as-tu pas dit toi-même, quand tu peignais notre portrait ? Cueille l'instant tant que tu le peux.

— Mais qu'allons-nous faire quand l'enfant sera né ? Même si nous prenons la fuite, ton époux nous retrouvera.

— Chut. Je n'ai pas envie d'en parler pour le moment.

— Il se lancera à notre poursuite. Il n'existe pas un endroit au monde où il ne puisse nous retrouver.

Jan a raison. Nous avons pris conscience, après coup, que notre plan était voué à l'échec. Cornelis est un homme influent, il a le bras long. Il connaît des capitaines de navire. Comment pourrions-nous prendre la mer sans être reconnus ? Et quand bien même nous atteindrions les Indes orientales, nous n'y serions pas en sécurité ; Cornelis entretient des relations avec des marchands établis là-bas et y possède une plantation d'épices. Il n'y a pas un endroit sur Terre où nous serions à l'abri.

— Dieu nous donnera la réponse, dis-je.

— Tu crois vraiment qu'il est de notre côté ?

— Où est ta bible ? Vite, une clef.

C'est un truc que Maria m'a enseigné. C'est sa façon à elle de s'entretenir avec Dieu quand elle doit prendre une décision. Jan va chercher une bible, puis remonte dans le lit et la dépose comme un pavé sur nos genoux. Je ferme les yeux, ouvre une page au hasard, puis place la main de Jan qui tient la clef sur le texte.

— Lis à voix haute.

— « Tes deux seins sont comme les faons jumeaux d'une gazelle paissant parmi les lis... Tes lèvres, ô ma bien-aimée, distillent le miel vierge qui, avec le lait, se cache sous ta langue. »

Jan referme sa bible.

— La voilà, ta réponse.

Il rit et me prend dans ses bras. Le livre tombe à terre avec un bruit sourd. Le lit tressaille.

Avant d'aller dormir, Jan me lave le visage à l'eau tiède, puis s'agenouille à côté de moi pour dénouer mes cheveux. Ces tendres préparatifs me font frissonner d'amour. Chaque objet de cette pièce me touche, jusqu'au plancher tout crotté, foulé par ses pieds. L'odeur de l'huile de lin est pour moi plus enivrante que toutes les épices de l'Orient.

Cette nuit je dors tout contre lui. « Mon bien-aimé est frais et vermeil. Ses joues sont comme des parterres d'aromates, des massifs parfumés, ses lèvres sont des lis ; elles distillent la myrrhe vierge. » Je n'ai jamais dormi nue en compagnie d'un homme jeune. Comme son corps est doux, comme son haleine est fraîche ! Nous dormons enlacés. Sa peau est à la fois ferme et veloutée. Il remue et se retourne, puis vient se blottir contre moi en posant ses mains sur ma poitrine. Je suis aussi grande que lui, nous sommes faits l'un pour l'autre. Il serre ses pieds contre les miens, nos pieds sont des jumeaux.

Loin, très loin, à travers mes rêves, j'entends le refrain du veilleur de nuit :

— Il est deux heures !... Il est trois heures !

Mon bonheur se mesure en coups de gong. D'un bout à l'autre de la ville, les habitants dorment, blottis les uns contre les autres ; le mari avec sa femme, dans leurs lits encastrés, tandis que dans une couche aménagée non loin d'eux dorment leurs enfants, conçus dans la légitimité. Ils se reposent paisiblement dans leurs lits douillets. Tout cela, je l'ai laissé derrière moi. J'ai choisi de prendre la mer, et ce soir je pars à la dérive sans espoir de retour.

Je sens l'haleine de Jan dans mes cheveux. Ses rêves pénètrent en moi comme une brume marine.

156

Si seulement Cornelis pouvait mourir, mon amoureux et moi dormirions ensemble chaque nuit jusqu'à la fin de nos jours.

Il s'agit là d'une pensée monstrueuse que je m'empresse de chasser. Je me mets alors à imaginer comment aurait été ma vie si j'avais rencontré Jan avant de me marier et si j'avais pu l'épouser et l'aimer sans contrainte. Ce n'est de la faute de personne si je suis devenue la femme de Cornelis. Certes, ma mère m'y a encouragée, mais j'aurais pu lui tenir tête. Je suis seule responsable du sacrifice de ma jeunesse et de mes rêves. Je l'ai fait pour sauver ma famille de la ruine. Cependant, la ruine qui s'abattra sur nous tous sera infiniment plus terrible si je ne trouve pas un moyen de nous sortir de la machination démoniaque que Jan et moi avons mise en œuvre.

Si seulement Cornelis pouvait mourir.

A cette pensée, je me redresse en sursaut. Jan s'éveille. Il fait courir sa langue le long de mon dos.

— J'ai une idée, dis-je.

— Une idée ? répète-t-il d'une voix ensommeillée.

— Il n'y a qu'une seule façon de lui échapper et de faire en sorte qu'il ne nous retrouve jamais.

La solution est évidente, tellement évidente. Comment n'y ai-je pas songé plus tôt ?

Mais, pour mettre mon plan à exécution, il va nous falloir de l'argent, beaucoup d'argent. Combien ? Cela reste à définir. Toujours est-il qu'il nous en faut tout de suite, pour pouvoir mettre les choses en route. Après quoi, en novembre, quand le bébé sera né, il nous en faudra beaucoup plus encore.

Le soleil commence à filtrer entre les volets entrouverts. Dehors, un oiseau chante, un enfant crie. Nous avons perdu la notion du temps. Nous n'avons rien mangé depuis hier. La tête me tourne autant que si j'avais été heurtée par un sac de sable.

— Tu te souviens de ce qu'a dit mon mari au sujet du vent de folie qui s'est emparé du pays ?

— C'est toi, le vent de folie, ma bien-aimée, dit-il en me caressant doucement le poignet. C'est toi qui m'as ensorcelé.

Pour une fois je ne réponds pas à ses caresses.

— Je veux parler de la folie des tulipes.

Comment ne s'en souviendrait-il pas ? Depuis un an, la « tulipomanie » se répand comme une fièvre parmi la population. On spécule en secret dans les tavernes. D'immenses fortunes se sont faites du jour au lendemain. Et voilà nos honnêtes concitoyens comme possédés par le démon.

— Un bulbe, tu te souviens ? Un seul bulbe suffit pour acheter des chevaux, de l'argenterie...

— Que suggères-tu ?

— J'ai même entendu dire, la semaine dernière, qu'un seul bulbe avait suffi pour acheter une maison dans Prinsengracht...

Je me mets à transpirer à grosses gouttes. Assis côte à côte au bord du lit, nous sommes soudés l'un à l'autre. Je porte sa chemise de nuit. Tout à coup, une goutte rouge tombe sur mes cuisses. Je songe d'abord qu'elle vient du plafond. Puis une deuxième goutte tombe, suivie d'une autre. Je saigne du nez. Cela m'arrive quand je suis agitée.

Jan me comprime le nez avec son mouchoir tout en m'obligeant à pencher la tête en arrière. Entre ses doigts, le linge commence à rougir. Les saignements de nez sont une chose étrange, car ils sont indolores. Le mouchoir est bientôt gorgé de sang, et lorsque Jan me relâche la tête, il en a plein les mains.

32

Le Tulipier

Choisissez un bulbe de belle taille et pourvu de caïeux bien développés. Egravillonnez soigneusement les caïeux et détachez-les du bulbe en ayant soin de ne pas endommager les racines adventives. Préparez des pots contenant un mélange de terre humide et de sable. Mettez un rejeton par pot et recouvrez d'humus. Etiquetez et arrosez.

Société royale d'horticulture,
Encyclopédie de jardinage

Claes Van Hooghelande fait partie de ces hommes possédés par la fièvre de la spéculation. Dans sa maison de la Sarphatistraat, il dort d'un sommeil agité. Il est spécialisé dans la culture des tulipes. Jadis il était percepteur des impôts mais il a renoncé à sa charge, au grand dam de son épouse, pour pouvoir rester chez lui et surveiller ses plantations. Malgré sa petite taille, son jardin est le centre de son univers. C'est là que, sous la terre, ses enfants chéris prospèrent.

Ses vrais enfants dorment à l'étage, mais il n'a plus de temps à leur consacrer. L'accès au jardin leur est interdit sous peine de fessée ; aussi sont-ils condamnés à jouer dans la rue. Lorsqu'il pense à eux, ce qui ne lui arrive pas souvent, il se les représente comme les rejets d'un oignon de tulipe : de petites bulbilles serrées contre le bulbe père. Tout ce qu'il voit le fait penser à ses fleurs préférées. Les femmes sont des tulipes dont les jupes, tels des pétales, dansent autour de leurs jambes-étamines. Les impôts qu'il collectait jadis sont les précieux rejetons prélevés sur l'oignon dodu d'une année de revenus.

Il est obsédé par les caïeux, car plus ceux-ci sont nombreux et plus l'oignon est gros. Et plus l'oignon est gros, plus il pèse d'*azen*. Et plus il pèse d'*azen*, plus il vaut cher. C'est la raison pour laquelle il laisse ses tulipes en terre plus longtemps que ses concurrents, les autres tulipiers amateurs, dont les jardins sont aujourd'hui en jachère. Ils ont déjà cueilli les leurs en juin, alors que lui les a laissées en terre quelques semaines de plus.

Certes, ses nerfs s'en ressentent. Car bien qu'il ait pris toutes les précautions nécessaires, en tendant des fils en guise d'avertisseurs et en montant la garde jour et nuit, il sait que tant qu'ils seront en terre ses bulbes seront à la merci des prédateurs : voleurs, chiens errants, limaces. Jadis notre percepteur était un homme de belle corpulence, doté d'un solide appétit. Au temps où il ne cultivait pas encore les tulipes, il avait du mal à passer la porte. Aujourd'hui, il a perdu l'appétit et le sommeil. Ses habits devenus trop grands pendent sur lui comme des guenilles sur un épouvantail. Son épouse a dû les lui reprendre par endroits. Il souffre de brûlures d'estomac qu'il soigne avec des teintures à base de menthe poivrée et d'eau-de-vie. Sa femme et lui dormaient naguère au rez-de-chaussée dans un lit encastré de la chambre de derrière. Avec l'argent gagné la saison dernière, il a acheté un lit à baldaquin qu'il a fait installer au premier, juste à côté de la fenêtre : ainsi, il peut surveiller son jardin.

Le compost est son secret. Il a passé tout l'automne à préparer la terre, à laquelle il a ensuite mêlé sa mixture magique : de pleines charretées de bouse de vache, des sacs entiers de fiente de poulet, du sable fin et de la poudre d'os achetée à l'abattoir. Trois fois par semaine, il procède à l'application de son engrais spécial. Il en a défini la ration exacte par pied et l'a consignée dans un livre qu'il garde précieusement enfermé dans son coffre-fort.

— Tu enterrerais tes enfants vivants si cela pouvait enrichir la terre, maugrée sa femme.

Celle-ci ne le comprend pas et le regarde souvent d'un drôle d'air. Lui aime s'agenouiller dans son jardin, malaxer et humer le terreau. Il ne connaît pas de fumet plus exquis. On en mangerait.

— Tu devrais consulter un médecin, lui suggère sa femme.

Mais attendez seulement qu'elle voie l'argent que tout cela va lui rapporter. Soixante mille florins en quatre mois, c'est le gain obtenu par un homme qui habite de l'autre côté de la ville. Soixante fois son revenu annuel ! Et le jardin de cet homme est encore plus petit.

Claes a déjà cueilli et stocké l'essentiel de sa plantation : les Miracles, les Emeraudes et, sa marchandise la plus courante, les Goudas. Il a triomphé cette année en mettant au point plusieurs nouvelles variétés, des croisements auxquels il n'a pas encore donné de noms. L'un d'eux est d'une nuance bleu indigo semblable à une goutte d'encre diluée dans

161

du lait. Il en a soigneusement détaché les caïeux qu'il a ensuite pesés puis enveloppés dans un paillis, avant de les mettre sous clef à la cave en attendant que les prix montent. Ses Amiraux, l'Amiral Van Enckhuysen et l'Amiral Van Eyck, dorment encore sous l'humus. La nuit dernière il a creusé la terre et tâté les bulbes pour s'assurer qu'ils grossissaient comme prévu. Il avait l'impression d'être un pervers qui glisse sa main sous la chemise d'un homme pour caresser ses testicules. Les marins qui s'adonnent à de telles pratiques sont cousus dans des sacs puis jetés à la mer. Quel châtiment attend celui qui oserait en faire autant avec un Amiral ?

« Tu devrais consulter un médecin. » Mais pourquoi ? Il est amoureux, voilà tout. Elles sont si belles quand elles sont en fleur, juponnantes et séduisantes, oscillant doucement dans la brise. Comme leurs calices sont beaux, nourris par son fortifiant secret : de la suie mélangée à sa propre urine. Elles sont ses enfants chéries, son armée d'anges faisant sonner leurs trompettes silencieuses. Il les aime toutes, chacune selon sa valeur marchande, laquelle s'échelonne ainsi : tout d'abord les Goudas, rouges à bords jaunes, ensuite les blanches tachetées de pourpre et, enfin, les plus excitantes de toutes, les blanches striées de rouge.

Semper Augustus est un nom qu'il murmure avec respect, comme on récite une prière. Le roi des rois, le saint des saints. Il en possède cinq qui dorment sous la terre. Il les a obtenus à partir de caïeux achetés l'an passé. Cinq, c'est tout ce qu'il a pu s'offrir. Cinq fleurs ont éclos, dont les pétales d'un blanc pur sont veinés de rouge sang, leurs calices aussi bleus qu'un ciel d'été. Le roi Salomon luimême n'aurait pu chanter leurs louanges avec plus de ferveur. « Vois comme tu es belle, ma bien-aimée, ô combien plaisante à regarder ; et comme notre lit est vert. » Ce sont ses cinq splendides demoiselles. « Tes lèvres sont comme un fil écarlate... Tu es toute beauté, pure et sans tache... Tu as ravi mon cœur. »

A présent elles ont fané, ne laissant derrière elles que des loques beiges et fripées. Leur beauté est enfouie sous la terre à laquelle, tôt ou tard, nous retournerons tous. Demain, c'est le grand jour. Demain, il va les déterrer... et, tel le Christ, elles renaîtront de leur long sommeil ; leur résurrection fera alors de lui un homme riche.

Claes s'est endormi. Il rêve que la terre s'ouvre d'elle-même et que des soldats en sortent, armés de lances acérées. Il se retourne brusquement dans le lit, bousculant sa femme au passage, puis se rendort. Il rêve qu'un intrus approche de sa propriété. Un grand chien noir. Il file par les rues en silence... puis saute par-dessus le mur... et atterrit sans un bruit dans le jardin. L'animal jette un coup d'œil autour de lui ; un rictus découvre ses crocs blancs. Il bondit dans le massif de tulipes et se met à creuser furieusement la terre. Il déterre de minuscules bras et de minuscules jambes, les membres arrachés des enfants de Claes.

Tintement de grelot. Claes se réveille en sursaut, bondit hors du lit et ouvre tout grand la fenêtre en hurlant :

— Qui est là ?

En bas, dans le jardin, d'autres grelots se mettent à tinter. Il aperçoit une forme noire au clair de lune.

Il se précipite dans le jardin, se prenant les pieds dans ses propres traquenards.

Claes examine la terre à la lueur blafarde de la lune. Il distingue une trace de pas. Cependant rien n'a été déterré. Le voleur a réussi à s'enfuir mais, Dieu soit loué, le système d'alarme a fonctionné.

33

SOPHIA

Tous ces imbéciles n'ont qu'une seule idée en tête : les oignons de tulipes.

Petrus Hondius, *Of de Moufe-Schans*, 1621

On frappe à la porte. C'est Gerrit, le serviteur de Jan. Il me remet une lettre.

— Que se passe-t-il ? demandé-je, brusquement gagnée par une sourde appréhension. Il lui est arrivé malheur ?

— Non, madame.

Gerrit est un homme lymphatique, imperturbable, son visage grêle semble avoir été grossièrement pétri dans l'argile. Il est originaire de Marken, une région marécageuse perpétuellement enveloppée de brume. Dieu merci, aucun des événements récents n'a éveillé sa curiosité.

Je lui donne un pourboire. Dès qu'il a tourné les talons je décachette la lettre. Je parie que Jan a flanché, et renoncé à notre projet.

Détruis cette lettre lorsque tu l'auras lue. Je me suis trompée. Jan me raconte sa tentative de cambriolage de la veille au soir. (Un méfait de plus à ajouter à la

164

liste.) Celle-ci a échoué, explique-t-il, car l'homme s'est réveillé. Par bonheur, Jan a réussi à s'échapper sans être vu. *Il va falloir que nous achetions les oignons de tulipes.*

Il ne s'agit que d'un petit contretemps, nous trouverons une solution. Je songe aussitôt à divers moyens de me procurer de l'argent. Spéculer entraîne inévitablement des pertes, c'est pourquoi nous allons devoir acheter des bulbes en grande quantité. Je monte au premier et j'inspecte le contenu de mon coffre à bijoux. Quelques pendants d'oreilles, un collier de perles, un bracelet de saphir et des pendeloques assorties. Peu de chose en somme. Car bien qu'ordinairement généreux, mon époux se montre parcimonieux quand il s'agit de bijouterie. Il n'apprécie guère les pierres précieuses. Il préfère acheter des tableaux, embellir sa maison ou s'offrir de beaux habits. Il est, à cet égard, étonnamment complaisant. Peu après notre mariage, lorsque j'ai fait l'inventaire de son armoire à linge, j'y ai recensé pas moins de trente paires de chausses, soixante-dix chemises, trente fraises, quatre-vingt-dix mouchoirs !... L'armoire croule littéralement sous le poids des vêtements, au point que la semaine dernière nous avons fait venir le forgeron pour qu'il en renforce les charnières.

J'étale un à un mes bijoux sur le lit. Je ne puis les mettre tous en gage, Cornelis s'en apercevrait, mais je peux en subtiliser quelques-uns.

Maria entre. Nous l'avons mise dans la confidence, nous n'avions pas le choix. Bon gré mal gré, elle a accepté de se prêter au jeu.

Je lui raconte la tentative de cambriolage manquée. Elle contemple les bijoux étalés sur le lit, piteux trophées d'une maigre journée de chasse.

165

— J'ai peur, dit-elle.

Comment ose-t-elle parler ainsi ? Je feins de ne pas comprendre.

— Nous trouverons l'argent nécessaire pour acheter des oignons, dis-je. N'aie crainte.

— Ce n'est pas à cela que je faisais allusion.

Il fait nuit. Je sors dans le jardin. Ici, les fleurs m'incitent à garder courage. Je leur prête des pouvoirs surnaturels, sachant que leur vie éphémère atteindra bientôt son terme. En dépit de leur beauté, elles sont insensibles. Elles ignorent qu'à travers leur floraison fugace s'exprime la futilité de la vie humaine.

Je me grise de leur parfum. Il y a quelque chose de pur et de désintéressé dans l'amour que nous portons aux fleurs. A l'exception des tulipes, naturellement. Quand je pense à elles, un désir ardent et coupable m'envahit tout entière. Je me dis : l'an prochain je planterai des tulipes dans ce petit massif. Puis je réalise que je ne serai plus là l'an prochain.

Je me mets à faire les cent pas dans le jardin comme un prisonnier dans sa cellule. Soudain, quelque chose craque sous mon pied. Lors de ma préparation au mariage, on m'a cité le proverbe de l'escargot : « La bonne épouse est celle qui porte sa maison sur son dos en toutes circonstances. »

Eh bien, cet escargot-là a disparu et sa maison avec lui.

34

JAN

PIETER : *Je vous tiens en haute estime. C'est pourquoi j'aimerais vous faire une proposition avantageuse. Croyez bien que je le fais non par intérêt, mais par pure amitié.*

HANS : *Je suis tout ouïe, mon ami.*

PIETER : *J'ai en ma possession un oignon de tulipe de la variété Arlequin. Une espèce de toute beauté et fort en demande sur le marché.*

HANS : *Mais je n'entends rien aux fleurs. Je n'ai même pas de jardin.*

PIETER : *Il y a une chose que vous ne semblez pas saisir. Ecoutez-moi bien, et ne m'interrompez pas, je vous prie, car il se peut qu'à l'instant même la fortune frappe à votre porte. Puis-je continuer ?*

HANS : *Si fait, si fait.*

PIETER : *Eh bien, l'Arlequin vaut dans les cent florins, peut-être davantage. Comme je vous l'ai dit, au nom de notre amitié indéfectible, je suis prêt à vous le céder pour cinquante florins. Ce qui veut dire qu'aujourd'hui même, et sans faire le moindre effort, vous pouvez faire fortune.*

HANS : *Il s'agit, en effet, d'une proposition bigrement allé-chante, comme on en reçoit rarement. Mais, dites-moi, que dois-je faire avec cet Arlequin ? Car il va de soi que je ne puis me poster à un coin de rue et...*

PIETER : *Je vais vous révéler mon secret. Surtout, prenez-en bonne note. Qu'y a-t-il, vous semblez nerveux ?*

HANS : *Nullement, je suis tout ouïe, mais c'est que la tête me tourne un peu.*

PIETER : *Voici ce que vous devez faire. Vous irez à l'auberge du Lion et là, vous demanderez au patron où se réunissent les coteries. Vous entrerez dans la salle qu'il vous indiquera. A la porte quelqu'un s'écriera d'une voix bourrue : « Il y a un étranger parmi nous. » Surtout ne vous laissez pas impressionner et, en réponse à ceci, vous vous mettrez à caqueter comme une poule et serez aussitôt admis dans le cercle des vendeurs de tulipes.*

Extrait d'une pièce de l'époque,
citée par Z. Herbert dans *Still Life with a Bridle*

Une semaine s'est écoulée. Jan est dans son atelier où il s'apprête à conclure un marché avec l'homme qu'il a essayé de cambrioler. Il a beau se dire que ce dernier ne pourra pas le reconnaître, se retrouver ainsi face à lui le met mal à l'aise. Cependant il n'a pas le choix, car il ne connaît pas d'autre tulipier. C'est un habitué de la taverne qui lui a recommandé Claes van Hooghelande dont la réserve de bulbes considérable est, dit-on, fort bien gardée. Ce n'est pas Jan qui vous dira le contraire.

L'horticulteur est nerveux. Il semble pressé de rentrer chez lui. Il a expliqué à Jan qu'il avait déterré tous ses bulbes et les avait soigneusement mis sous clef. Son regard est empreint d'une étrange lueur de folie.

— J'ai cinq Semper Augustus, annonce-t-il d'une voix rauque d'excitation. Un peu trop chers pour votre bourse, je le crains.

Le problème, c'est que Jan ne peut même pas payer les bulbes moins recherchés, que le tulipier a apportés avec lui. Jan a l'argent des bijoux que Sophia a mis en gage, plus ses propres économies, ainsi qu'un prêt consenti par Mattheus. Mais cela ne suffit pas, car il doit acheter en grande quantité pour pouvoir spéculer. Il a commandé un sac de Goudas, les moins chères de toutes, plus quelques milliers d'*azen* d'Amiraux dont les noms lui échappent.

— J'ai perdu des années à collecter les impôts, plaisante Claes, et maintenant je suis entré dans la marine.

Ce n'est qu'en investissant massivement que Jan pourra amasser l'argent dont il a besoin et qui est devenu pour lui une question de vie ou de mort.

— Choisissez donc une toile, dit Jan en entraînant l'homme vers l'endroit où sont entreposés ses tableaux. Tenez, prenez la *Résurrection de Lazare*, suggère-t-il en lui présentant un assortiment de toiles et d'huiles sur panneaux. Elle vaut trente florins.

Jacob, qui est en train de broyer des pigments, l'observe.

— Prenez le *Sacrifice d'Abraham*, ou bien le *Paysage avec bétail*.

— Mais, monsieur... proteste Jacob.

— Tais-toi! aboie Jan. Que diriez-vous de la *Femme surprise en adultère* ?

Claes van Hooghelande examine un instant les toiles en se grattant la tête d'un air perplexe. Il désigne alors une huile sur bois.

— Et celle-là là-bas? La nature morte avec les fleurs? Regardez, là, entre l'ancolie et la boule-de-neige... vous voyez la tulipe? C'est un Général des Généraux.

— Vraiment?

— Dieu, que les peintres sont ignorants !

— Nous ne faisons que reproduire ce que nous voyons.

169

— Ah ? rétorque Claes. Parce que, d'après vous, les jonquilles et les lis fleurissent à la même époque ? C'est impossible, voyons.

— Tout est possible quand je peins.

Jan est de plus en plus mal à l'aise.

— A-t-on jamais vu tulipe plus gracieuse ? C'est un vrai poème, déclare Claes. Vous l'avez reproduite à la perfection... cette goutte de rosée...

— Merci, mais...

— C'est étrange, vous avouerez. Les fleurs sont éphémères mais la peinture, elle, est éternelle, médite Claes d'une voix émue. Or, un oignon de tulipe vaut à lui seul trois fois plus cher qu'un tableau. Essayez donc d'expliquer ça.

Brusquement, le tulipier se ressaisit et conclut d'un ton sec :

— Vous ajoutez la toile et l'affaire est faite.

Jacob se raidit, mais Jan l'ignore.

De vulgaires oignons dans un sac, voilà à quoi ils ressemblent, ces bulbes qui ont coûté à Jan autant d'argent qu'il peut espérer en gagner en une année quand tout va bien. Comme ils sont ordinaires ! Et pourtant ils sont plus précieux que des joyaux ou des œuvres d'art, plus précieux que l'or même. Et dire que son avenir tout entier est contenu dans ce sac de toile...

Jan est trop agité pour pouvoir travailler. Sophia lui manque terriblement, il voudrait lui parler. Il la sent tout près de lui, et pourtant si loin, enfermée dans sa prison solitaire. Il voudrait lui raconter son entrevue avec Claes, lui parler de la lueur de folie qu'il a vue briller dans ses yeux, et de ses chausses trop grandes qu'il ne cesse de remonter d'un geste nerveux. Il voudrait lui raconter tout ce qui lui passe par la tête, lui dire tous les mots qu'il garde pour

170

leur prochaine rencontre. Est-elle, elle aussi, en train de penser à lui ? Est-elle en train de coudre, de regarder par la fenêtre tandis que le soleil éclaire la courbe délicate de son nez ? Elle lui manque tant qu'il en a le cœur serré. Plus que quelques mois et nous serons réunis pour toujours, pense-t-il pour reprendre courage.

Il passe devant chez elle, mais ne l'aperçoit pas à sa fenêtre. La maison semble totalement déserte. Peut-être est-elle sortie faire des courses ? Il se rend au marché, mais il est tard, les marchands sont déjà en train de remballer. Quelle journée ! Il a complètement perdu la notion du temps.

Nonchalamment postés à côté de leurs attelages, les cochers attendent le chaland. Quand **un** client se présente, ils lancent un dé pour savoir lequel d'entre eux prendra la course. Nous avons tous l'air raisonnables et pourtant, au fond de nous-mêmes, nous sommes tous possédés par le démon du jeu, pense Jan. Et le pari que je viens de faire est le plus risqué de tous.

Cette nuit-là, il rêve que les gens sont des tulipes. Leurs têtes posées sur de longues tiges oscillent gracieusement d'un côté et de l'autre. La chose lui semble parfaitement naturelle. Amsterdam est une ville peuplée d'hommes-fleurs.

Le voilà arrivé sur la grand-place ; il appelle Sophia. Elle vient dans sa direction en hochant doucement la tête. Il la reconnaît à sa robe violette. Il lui demande de le suivre de l'autre côté de l'océan. Mais cette fois, quand elle hoche la tête, tous ses pétales tombent, révélant une tige dénudée.

L'ami de Jan, Mattheus, connaît un médecin véreux. Le docteur Sorgh. Il a pratiqué un avortement sur une fille que Mattheus avait engrossée, et accepté de se faire payer en nature.

— Pourquoi as-tu besoin de lui ? s'étonne Mattheus, une lueur concupiscente dans les yeux. Je parie que tu as engrossé une ribaude. Quand vas-tu cesser de courir la gueuse et te décider à épouser une honnête fille ? Gerrit n'est pas une femme pour toi.

Jan donne rendez-vous au médecin dans l'échoppe d'un apothicaire, non loin du port. Grossière erreur. Les médecins détestent les apothicaires qui, sous prétexte qu'ils appartiennent à la même guilde qu'eux, leur font une concurrence déloyale. Les filous se font passer pour des hommes de l'art et marmonnent de vagues conseils assis sous des crocodiles empaillés. Ils poussent même l'audace jusqu'à porter la robe noire et le chapeau pointu des praticiens.

— Pourquoi diable m'avez-vous donné rendez-vous ici ? vitupère le docteur Sorgh en guise de salut.

Jan avait cru bien faire. Furieux, l'homme ressort aussitôt et l'entraîne vers une taverne voisine.

— Eh bien, de quoi s'agit-il ? demande le médecin.

— Vous avez rendu service à l'un de mes amis, il y a quelques années, à la satisfaction des deux parties, et ce dernier m'a vanté votre discrétion.

Le docteur Sorgh a des cheveux roux et un visage chafouin. Jan a besoin d'un homme de confiance. La vie de trois personnes, et même quatre si l'on compte le bébé, repose entre ses mains. Jan se sent aussi responsable de Maria que s'il l'avait engrossée lui-même. D'ailleurs, d'eux tous, n'est-elle pas la plus vulnérable ?

172

— Je veux que vous accouchiez une femme. Il va sans dire que sa survie...

— Seriez-vous en train d'insinuer que je suis incompétent ?

Dieu, que cet homme est susceptible !

— Nullement ! Mais les circonstances sont tout à fait particulières. Et tout d'abord, la chose doit être menée dans le plus grand secret.

Jan marque une pause. Il doit gagner la confiance de cet homme et lui dévoiler leur stratagème sous peine d'échouer. Il prend une gorgée de bière, puis commence. A s'entendre ainsi raconter toute leur machination à un étranger, Jan a l'impression de perdre la tête. L'entreprise lui semble soudain diabolique.

Il y a un long moment de silence. Le docteur Sorgh regarde fixement sa bière. Jan observe les longs doigts blancs du praticien qui caresse machinalement sa chope. Il frissonne en songeant à toutes les choses que ces doigts ont pu faire.

— Le risque, ou plutôt les risques sont énormes, finit par dire le docteur.

— Cependant, comme je vous l'ai dit, nous n'avons pas le choix.

— Il y a des risques pour la servante et pour votre amie, dit le médecin en plongeant ses yeux dans ceux de Jan. Il faut que vous soyez drôlement épris.

Jan opine du chef. A sa grande surprise, l'homme soupire :

— Vous avez bien de la chance.

Le silence s'installe à nouveau entre les deux hommes. Le médecin continue à caresser sa chope de ses doigts habiles. On est en début d'après-midi ; la taverne est vide, hormis trois jeunes marins qui jouent aux cartes.

— J'ai aimé quelqu'un, moi aussi, jadis, reprend alors le docteur Sorgh. Mais... j'ai cédé à la lâcheté. J'ai craint d'être mis au ban de la société... de perdre mon emploi... Trop de risques. Je l'ai regretté ensuite toute ma vie.

Il lève sa chope d'une main tremblante, puis la repose.

— C'est pour faire acte de courage...

Sa voix se perd. Jan baisse les yeux. Son regard tombe sur une pipe cassée et une coquille d'huître vide qui gisent à terre. Elles lui rappellent une gravure qu'il a vue dans un livre d'emblèmes. S'il s'agissait d'une toile, je comprendrais de quoi il veut parler, songe-t-il.

— C'est pour cela que j'aide les gens, poursuit le praticien. Toute vie comporte des risques. Etant médecin, je suis bien placé pour le savoir. Mais j'ai une tendresse particulière pour ceux qui naviguent contre vents et marées. Je les admire car, personnellement, j'en suis incapable.

Jan est ému. Il commence à se prendre de sympathie pour cet homme susceptible et émotif. Soudain il doute. Le docteur aura-t-il le cran nécessaire ?

— Elle sera en bonnes mains, n'ayez crainte, le rassure celui-ci, comme s'il avait senti son hésitation.

— Laquelle des deux ?

— Toutes les deux. Et maintenant, parlons argent, enchaîne-t-il sans tarder.

Il lui énumère ses conditions. Une partie payable à l'avance pour lui-même, ainsi que pour les services d'une sage-femme en qui il a entièrement confiance, cela va sans dire.

Jan compte l'argent avec un petit haussement d'épaules résigné. Après tout ce n'est que de l'argent ; quelques oignons de tulipes. Mais sous son apparente insouciance il cache une profonde angoisse. La tulipomanie l'a gagné, lui aussi. Elle règne sur son cœur comme une maîtresse, et quelle maîtresse ! Frivole, elle flirte avec les autres hommes, les aguiche à qui mieux mieux. Et, juste au moment où il pense qu'il va la perdre, elle se donne à lui. Elle s'abandonne tout entière à ses étreintes, le faisant frissonner de plaisir des pieds à la tête. Et pour un temps le voilà rassasié. Puis la faim le reprend ; une faim dévorante. Voilà de quelle sorte de maîtresse il s'agit. Qui pourrait lui résister ?

Il y a un mois à peine, en juillet, il n'était encore qu'un jeune homme innocent. Les spéculateurs n'étaient pour lui que des *kappisten*, des fous. A présent, il a rejoint leurs rangs et déjà triplé sa mise. Ses Amiraux l'ont conduit à la bataille dont il a rapporté un lourd butin. Car leur prix s'est envolé, au point qu'il est aujourd'hui en mesure de payer le médecin et d'acheter de nouveaux bulbes. Il n'a même plus le temps de peindre. Chaque jour, il retourne à la taverne où il retrouve ses amis, des hommes atteints comme lui de la fièvre de la tulipe, qui spéculent à tour de bras dans un tourbillon de fumée de tabac.

— Et puis j'exige une reconnaissance de dette pour le dernier paiement, dit le médecin.

Il lui indique la somme. Jan en reste bouche bée.

— Songez aux risques, rappelle Sorgh. Les risques que j'encours.

Et Jan qui l'avait pris pour un sentimental ! Il sort une feuille de papier. *Je soussigné, Jan Van Loos, reconnais devoir...* Il écrit la somme en gros. Tous ces zéros ! Il s'applique à les tracer bien ronds, en hommage à son maître qui a fait ses études à Rome, où on lui a enseigné les canons de la Renaissance.

Ses zéros sont aussi parfaits que la lune dans *Paysage marin de nuit*. Aussi ronds que les bulles de savon de l'enfant peint par Frans Hals, qui voulait avec cette image signifier combien la vie est brève et futile. Le docteur plie la lettre et la range avant d'échanger une poignée de main avec Jan. La vie est un hasard, songe ce dernier. N'est-ce pas un hasard s'il est venu au monde ? Si ses parents avaient copulé la veille ou le lendemain, ils auraient conçu un autre enfant. Quant à Sophia, l'amour de sa vie, c'est aussi un hasard s'il a fait sa connaissance.

Il trouvera l'argent. Il sait comment déjouer les pièges de la fortune, sa maîtresse. Il a appris à jouer. Et quand le moment sera venu de jouer son va-tout, il gagnera. Car la chance, jusqu'ici, a toujours été de son côté.

35

Automne

*Pendant que le chien aboie, le lièvre fuit
dans les bois.*

Jacob Cats, *Emblèmes moraux*, 1632

Les tempêtes d'automne font rage. Une pluie diluvienne s'est abattue sur la campagne, déracinant les arbres, inondant les cultures. Les bateaux font naufrage, leurs épaves rejetées sur la grève comme de vulgaires coques de noix. Tous les vaisseaux de Cornelis sont arrivés à bon port, à l'exception du plus gros d'entre eux. Il a sombré corps et biens alors qu'il s'en revenait de Moscovie avec une cargaison de zibeline, d'ambre gris, d'huile de baleine et de fer. On sonne le glas pour l'âme des naufragés.

Les rues d'Amsterdam sont jonchées de débris : tuyaux de cheminées, linge qu'on avait mis à sécher sur des cordes. Dans Keisergracht, un maçon est tombé d'un échafaudage, immolé sur l'autel des vanités. Le vent qui souffle en rafales a tôt fait de vous jouer des tours. Aussi n'est-il pas conseillé de longer les canaux. Ceux-ci charrient des cadavres, victimes de l'ivresse ou du désespoir. Car la tulipomanie fait des ravages et les spéculateurs ruinés sont légion.

Puis à la mi-octobre la pluie cesse. Un brouillard épais enveloppe la ville, étouffant les bruits, rendant les murs invisibles. On ne saurait dire où finit la rue et où commence le canal. On ne compte plus les noyés dont les corps ne seront repêchés qu'une fois la brume levée. Les nuits sont plus sinistres encore. La vapeur s'amoncelle comme de la ouate à la surface des canaux. Des ombres se faufilent dans les rues, invisibles. Le brouillard est si dense que c'est à peine si l'on parvient à distinguer ses mains quand on les agite devant sa figure. Amsterdam est une ville de fantômes et de crimes impunis, car ceux qui les ont commis sont happés par les vapeurs de la nuit.

36

SOPHIA

*Un sot et son argent ont tôt fait de se
séparer.*

Visscher, proverbe sur la tulipomanie
extrait de *Sinnepoppen*, 1614

Bénis soient les cieux ! Un épais brouillard est
tombé sur la ville comme le souffle de Dieu. Je puis
me faufiler par les rues sans être vue. Des spectres
surgissent de la brume, passent leur chemin, puis
s'évaporent. Ils marchent tête baissée en regardant
leurs pieds, de crainte de tomber. Chacun de nous
est enveloppé dans du coton.

Jan et moi redoublons de témérité. Ma chambre à
coucher donne sur la rue ; et Cornelis a le sommeil
lourd. La nuit, mon amant lance un caillou contre
ma fenêtre et je descends le rejoindre à pas de loup.
Je ne pousse tout de même pas l'audace jusqu'à le
faire coucher dans mon lit. D'ailleurs, ces temps-ci,
nous n'avons plus la tête à l'amour. Nous sommes
tous deux consumés par une fièvre nouvelle. Blottis
l'un contre l'autre sur la banquette du salon, nous
complotons à voix basse.

179

Je tends à Jan un papier sur lequel j'ai griffonné des chiffres. Il le prend d'une main tremblante. Jusqu'ici, chaque fois que nous avons misé, nous avons gagné. Jan fait désormais partie des gros spéculateurs. Il achète et vend des tulipes « en blanc » ; il y a en effet belle lurette que nous ne voyons plus de bulbes. Ils sont devenus pour nous une entité abstraite. Nous achetons des oignons que personne n'a jamais vus. Il s'agit de nouvelles variétés. Avec un peu de chance les prix vont flamber et nous serons riches. Ces bulbes invisibles se vendent et se revendent dix fois dans la même journée ! Penchés sur le papier, nous examinons les chiffres faramineux. Je suis tellement excitée que je me mets à saigner du nez. Une goutte de sang éclabousse nos calculs.

Il n'y a pas que l'amour que nous négligeons. Jan a cessé de peindre depuis longtemps. Dévoré par la fièvre du jeu, il passe ses journées à aller d'une taverne à l'autre, chuchotant le mot de passe pour pouvoir pénétrer dans les salles où l'on boursicote. Je ne puis l'accompagner, de peur d'être reconnue. La ville tout entière semble se rencontrer dans ces lieux. Jan joue « à l'assiette » : on fait circuler des plats de bois sur lesquels les valeurs unitaires sont inscrites à la craie ; les hommes marchandent, jouant tantôt à la hausse tantôt à la baisse ; celui qui l'emporte paie la tournée. Pour financer ses enchères Jan emprunte à ses amis et leur rembourse le double de la somme empruntée dans la semaine. C'est magique ! La chance nous sourit. Dieu est de notre côté.

J'essuie le sang qui a coulé sur le papier, laissant une traînée brunâtre.

Maria s'est arrondie dernièrement, comme un bulbe nourri du meilleur humus. L'autre soir, alors que nous étions en train de dîner, Cornelis s'est écrié :

— Avez-vous vu comme elle est grosse ? Ma parole, à force de dévorer, elle va nous mettre sur la paille.

— Elle a toujours eu un solide appétit, ai-je répondu.

Sa démarche aussi a changé, elle tangue d'un côté et de l'autre comme un navire sur l'océan. Elle s'essouffle au moindre effort. Désormais, c'est moi qui me charge des gros travaux. Je lave, je récure... car il ne faut pas qu'elle perde son enfant. Je peine, moi aussi, sous l'effort. De ma vie, je n'ai jamais travaillé aussi dur. Les rôles sont inversés : je suis sa servante et elle est ma maîtresse, se contentant d'exécuter les tâches les plus faciles.

Un jour, elle me dit :

— C'est drôle, vous voilà habillée en servante, alors que jadis c'est moi qui mettais vos vêtements en secret.

Et elle me raconte qu'elle s'amusait à passer mon mantelet bleu doublé de fourrure pour s'admirer dans les miroirs. Même nos mains semblent avoir été échangées. Les miennes sont devenues rugueuses et gercées comme celles d'une domestique.

— Enduisez-les de graisse d'oie, ricane-t-elle, et vous aurez des mains de dame.

Les siennes sont aussi douces et lisses que celles d'une aristocrate.

La maison aussi a changé. J'ai appris à la connaître dans ses moindres recoins, mon dos en sait quelque chose. Je connais par cœur la frise en faïence de Delft et les sols de marbre qui s'étirent à l'infini. Je cire et j'astique les parquets du premier. Les manches retroussées, je frotte et j'époussette, puis je me relève

181

en gémissant. Les murs damassés de la chambre de cuir attirent la poussière. Debout sur une chaise, je fais tourbillonner mon balai jusqu'à ne plus sentir mes épaules. De retour à l'office, je lave à grande eau le sol de terre cuite. Naguère, la maison consistait pour moi en une enfilade de pièces garnies de fauteuils dans lesquels je me prélassais, et de fenêtres que j'ouvrais pour contempler le spectacle de la rue. Elle n'était que le décor peint de ma vie. A présent, j'en connais chaque tomette, chaque latte de plancher. Si seulement nous pouvions engager une autre domestique ! Malheureusement c'est impossible. Nous ne pouvons prendre le risque d'introduire une étrangère parmi nous en un moment aussi crucial, sans compter que j'ai refusé chaque fois que mon mari me l'a proposé.

Arrivée au dernier mois de ma grossesse, je porte un gros oreiller noué autour de la taille. Mme Molenaer, ma voisine, m'a prêté plusieurs robes de maternité. Maria a simplement ajouté quelques pans de tissu aux siennes pour les élargir. Se baisser pose problème. Comment diable font les femmes enceintes ? Je suis chaque fois tentée d'ôter mon oreiller mais je n'ose, de crainte de tomber nez à nez avec Cornelis qui, plus empressé que jamais, a pris l'habitude de rentrer à l'improviste pour s'assurer que je ne suis pas en train d'accoucher.

Le docteur Sorgh nous a rendu visite. Il est monté au premier pour examiner Maria, puis, après s'être lavé les mains, il est retourné dans le salon et a dit à Cornelis que je me portais comme un charme. Il a un visage long et étroit de lévrier. J'ai beau me méfier des rouquins, force m'est de reconnaître qu'il a joué son rôle à la perfection.

— Votre ami a raison, m'a-t-il glissé à l'oreille en partant, vous êtes une femme extraordinaire.

Maria m'a dit que ses mains sentaient la violette.

Ces dernières semaines, ma jeune servante semble être rentrée dans sa coquille. Elle passe des heures assise au coin de l'âtre ou à la fenêtre, comme si elle attendait un visiteur qui n'arrive jamais. Plus grave encore, la complicité qui nous unissait jusque-là a disparu.

— Vous et vos maudits calculs ! s'est-elle écriée une fois. Vous ne pensez qu'à l'argent. Mais moi aussi, j'existe !

— C'est pour toi que je spécule ! Cela va te profiter autant qu'à moi. Bientôt tout sera fini et nous serons libres.

— C'est facile à dire quand on est à votre place. Je ne vous reconnais plus, Sophia.

Elle ne m'appelle plus « Mademoiselle » ou « Madame » mais Sophia. Cela m'est égal. C'est la peur qui la rend hargneuse. Elle va bientôt accoucher, s'embarquer seule pour un long et périlleux voyage.

Hier, Jan a gagné soixante-cinq florins. L'équivalent d'un an de loyer pour le forgeron qui est venu réparer notre armoire à linge. Comme ce dernier s'en plaignait, je lui ai dit :

— Achetez donc des tulipes. Il n'y a rien de plus facile.

— A trop vouloir l'emplir on fait rompre la bourse, a répliqué l'artisan. Croyez-moi, ce sont tous des fous.

Qu'en sait-il, ce sac à vin ?

Je retrouve Jan à côté de la fontaine, notre lieu de rendez-vous habituel. Il a maigri. Il a le visage hâve et ses cheveux en bataille ont perdu leur brillant. Il ne prend même pas la peine de me souhaiter le bonjour. Le regard enfiévré, il me saisit par le poignet.

— Dis-moi que je dois le faire ! Est-ce que tu t'en sens le courage ? me demande-t-il en resserrant son étreinte. Certes, la chance a toujours été de notre côté, mais est-il sage de mettre tous nos œufs dans le même panier ?

Il veut dire par là qu'il s'apprête à jouer son va-tout. Il veut tout miser sur le roi des rois, le Semper Augustus dont Claes van Hooghelande détient encore un spécimen.

Tout notre argent va y passer, jusqu'au dernier stuiver, et même plus. Beaucoup plus, car il nous faudra emprunter. Les prix ne cessent de fluctuer. Cette fois nous jouons le tout pour le tout. Mais si nous réussissons nous pourrons rembourser toutes nos dettes d'un seul coup et entamer une nouvelle vie quand le bébé sera né.

— Je crois qu'il le faut, dis-je.

— Oh, ma fleur, ma bien-aimée.

Nous nous regardons l'un l'autre en silence, aba-sourdis par la décision que nous venons de prendre. « Ma fleur », c'est ainsi qu'il m'appelle désormais.

Le bébé est attendu d'un moment à l'autre. Par chance, le ventre de Maria n'est pas trop gros : une petite bosse bien ronde et située assez bas. Pour qui n'y regarde pas de trop près, elle n'est qu'une bonne grosse fille dont les vêtements d'hiver accentuent la corpulence. Elle ne sort que rarement, et quand nous nous rendons ensemble au marché tous les yeux convergent sur moi. Maria n'est après tout qu'une servante, et les domestiques ne sont jamais au centre de l'attention, même dans notre grand et beau pays.

Lorsque nous sommes seules, nous en profitons pour nous détendre, bien que ce terme ne convienne guère pour décrire l'état de tension croissante dans lequel nous nous trouvons. Le ventre de Maria occupe de plus en plus de place dans notre vie. Il exerce sur nous un magnétisme plus puissant que celui de la lune sur les marées. Il est loin le temps des plaisanteries : « Imaginez que vous tombiez enceinte, vous aussi ! » Maintenant que nous sommes entrées dans la dernière phase, l'humeur n'est plus au badinage.

Ma chambre a été préparée en vue de l'accouchement. Toutes les femmes du quartier sont aux petits soins pour moi. Un chauffe-linge a été installé devant le pare-feu. Notre voisine, Mme Molenaer, nous a prêté un berceau en osier. Mon mari a préparé la robe d'accouchée. Sur le rebord de la cheminée on a disposé la tasse à gruau et la cuillère, pour me restaurer pendant le travail, ainsi qu'un bol pour le vin chaud qui me sera servi après la délivrance. L'un de nos voisins, qui dispose d'un laquais, m'a proposé d'aller quérir ma mère quand les douleurs commenceront ; j'ai bien sûr décliné son offre en prétextant que son état de santé ne lui permettait pas de voyager. En fait, j'ai menti à ma mère sur la date de l'accouchement. Elle croit qu'il n'aura lieu que dans plusieurs semaines.

Naturellement, Maria n'accouchera pas dans cette chambre. Aussitôt que Cornelis a quitté la maison pour se rendre au travail, j'emmène Maria au grenier. Lentement, elle commence à gravir l'escalier de bois à peine plus large qu'une échelle. Arrivée à mi-chemin, elle s'arrête pour reprendre haleine.

C'est une petite pièce sombre sous une charpente de poutres noires. Cornelis n'est pas monté ici depuis des années. Personne n'y vient jamais, d'ailleurs. Je l'ai nettoyée de fond en comble et j'ai répandu de la lavande à terre. Avec un vieux grabat, qui a dû servir jadis à un domestique, j'ai confectionné un lit de fortune.

185

Dans un coin de la mansarde se trouve mon portrait, *La Lettre d'amour*. J'y suis représentée seule avec mes rêves, en train de prendre une décision. La femme qui figure sur le tableau semble si virginale, si insouciante... La décision a été prise depuis longtemps. Cette créature innocente me paraît aujourd'hui totalement étrangère.

Maria se laisse tomber sur le lit avec un petit grognement. Ses reins la font souffrir. Je m'assieds à côté d'elle et commence à la masser.

— Tu verras, dis-je, c'est un bon médecin, et la sage-femme est une femme d'expérience. Elle a déjà pratiqué plus d'un millier d'accouchements. Tous réussis. Tu seras en de bonnes mains.

Brusquement, Maria éclate en sanglots.

— Je voudrais mon Willem, gémit-elle.

— Ils s'occuperont bien de toi, tu verras.

— Je voudrais mon Willem.

— Il ne reviendra pas.

— Je le veux !

La voilà qui pleure comme un veau à présent.

— Pourquoi m'a-t-il abandonnée ? gémit-elle, les joues brillantes de larmes et de morve.

— Il n'est même pas au courant. Il faut que tu l'oublies.

Je lui essuie la figure avec mon mouchoir.

— Bientôt tu auras un adorable bébé...

— Je veux mon Willem !

J'essaie de la prendre dans mes bras pour la consoler, mais nos deux ventres m'en empêchent. A la place, je lui caresse la tête et le ventre.

Sous son tablier je sens bouger le bébé. Il rue avec une telle force que ma main tressaute. On dirait qu'il cherche à me repousser.

— Touche-le, dis-je. Il essaie de sortir. Et quand ce sera fait nous serons tous libres.

37

JACOB

Je t'envoie une figure humaine afin de
t'aider dans tes études de peinture... Fais-en
bon usage, ne la laisse pas moisir dans un
coin, mais entraîne-toi assidûment, en parti-
culier à dessiner ces grands portraits de
groupe si vivants qui suscitaient l'admira-
tion de Pieter Molijn. Si tu peins, peins des
objets contemporains, des scènes de la vie
quotidienne, car elles sont vite exécutées. Sois
suffisamment persévérant pour achever tou-
tes les toiles que tu commences ; et, avec
l'aide de Dieu, elles t'apporteront la gloire
comme elles l'ont fait à Haarlem et Amster-
dam... Et, par-dessus tout, sers Dieu, mon-
tre-toi humble et poli envers ton prochain,
car ainsi tu assureras ton succès. Je joins éga-
lement quelques effets, des pinceaux, du
papier, de la craie, ainsi qu'un assortiment
de jolies couleurs...

Lettre de son père à Gérard Ter Borch, 1635

Jacob est un jeune homme ambitieux. Bien qu'il soit âgé de seize ans à peine, sa carrière est déjà toute tracée. A vingt-cinq ans, il s'établira à son compte et ouvrira son propre atelier. Il veut se spécialiser dans l'art du portrait, car ici, à Amsterdam, le nombre de clients désireux de se faire immortaliser est quasiment illimité. A trente ans, il aura réussi à se faire un nom grâce à la réalisation d'une importante commande : assemblée de miliciens ou de marchands, banquet de la Garde civique. Outre que ces compositions sont rémunérées au nombre de personnages, plus ou moins selon que le sujet y est représenté en pied ou en buste, elles sont destinées à être exposées dans des lieux publics, contribuant ainsi à la renommée de leur auteur.

Il ne veut pas marcher dans les traces de Jan, pour qui il éprouve des sentiments ambigus. Ses modèles sont Nicolaes Eliasz et Thomas de Keyser, portraitistes de renom au sommet de leur gloire. Ils exécutent sur commande des œuvres de qualité et respectent scrupuleusement les délais qui leur sont impartis. La peinture n'est-elle pas une marchandise comme les autres ? Ceux qui réussissent sont ceux qui offrent le meilleur rapport qualité prix. Son autre idole est Gerrit Dou, ancien élève de Rembrandt Van Rijn, dont il n'a pas l'humeur fantasque et capricieuse. Le souci du détail a fait de Dou l'un des peintres les plus sollicités. Le collectionneur Johan de Bye possède vingt-sept de ses toiles. L'ambassadeur de Suède, à La Haye, le paie mille florins par an rien que pour avoir le privilège de voir ses toiles avant tout autre acquéreur potentiel. C'est ainsi que Jacob aimerait peindre, car il aime l'ordre et la minutie et non la spontanéité déroutante d'un Rembrandt, ou le style trop fleuri d'un Peter Paul Rubens, la nouvelle coqueluche d'Anvers.

Peindre est un métier, pas un jeu. Jacob se méfie de l'excès. La folie spéculative qui s'est emparée de ses contemporains le laisse de marbre. Il les méprise.

188

Contrairement à son maître, il n'a rien d'un rêveur. Le seul plaisir qu'il s'autorise est une promenade chaque samedi dans les quartiers riches d'Amsterdam. Tout en longeant les belles demeures, il songe à la maison qu'il se fera construire plus tard, quand il aura fait fortune. Quand il se sera établi à son compte et qu'il aura réussi, il cherchera une fille de bonne famille et se mariera. Mais il est encore trop tôt pour y songer...

A bien des égards, Jan Van Loos a été une déception pour lui. Pour commencer il n'a aucun ordre. La première fois qu'il s'est présenté dans son atelier il a cru entrer dans une porcherie. Les pinceaux éparpillés avaient l'air d'avoir été rongés par les rats. Jan reçoit ses clients dans un vieil habit taché de peinture. Est-ce là tout le respect qu'ils lui inspirent ? Sans parler de ce serviteur dépenaillé qui entre et sort à toute heure du jour et de la nuit. A le voir ainsi loqueteux, on croirait qu'il dort dans le ruisseau.

Mais, plus grave encore, Jan est un débauché. Mattheus a bien fait de le mettre en garde. Son maître fornique avec une femme mariée. Jacob se garde bien d'en parler à ses parents, car ils seraient horrifiés et l'ôteraient de son service.

Ce sont ces excès sexuels, à n'en pas douter, qui ont conduit Jan à négliger son travail. La déperdition de sperme entraîne un affaiblissement chez l'homme, son sang s'appauvrit. Sans parler de la fièvre de la tulipe. Jan se laisse complètement aller ces derniers temps. Il a l'œil hagard, la barbe en bataille. Voilà des mois qu'il n'a pas mis les pieds chez le barbier. N'a-t-il donc aucun amour-propre ? Parfois, il se passe une journée entière sans qu'il touche un seul pinceau.

Pour Jacob, qui espérait un enseignement plus rigoureux, c'est une cruelle déception, même si, d'une certaine façon, les choses ont tourné à son avantage. Il s'attendait en effet à ce que sa première année d'apprentissage se passe à exécuter des basses besognes : confectionner des pinceaux, tendre les toiles sur les cadres, aiguiser les pointes sèches, préparer le fond blanc des tableaux, et au mieux recopier certaines œuvres de son maître.

Or, ces derniers temps, Jan passe le plus clair de ses journées à l'extérieur. Et, quand il est à l'atelier, il semble perdu dans ses pensées. Il tarde à exécuter les commandes qui lui sont faites et s'en remet de plus en plus à son apprenti. Jacob est finalement devenu une sorte d'associé. Cet été Jan a commencé trois tableaux dans l'intention de les vendre à la foire : *Paysage avec bergers, Le Viol d'Europe,* ainsi qu'une toile dépeignant les méfaits de l'intempérance. Il a également accepté une commande, le portrait d'un des principaux officiers du stathouder. Mais comme il n'a jamais le temps de s'y mettre, il a demandé à Jacob de les terminer à sa place. Pas seulement le fond ou les drapés, mais le sujet lui-même !

Jacob, qui sait que son talent vaut bien celui de Jan, ne demande que cela. Parfois, le jeune apprenti se dit qu'il devrait même donner des leçons à son maître.

Et puis, comme un coup de tonnerre dans un ciel bleu, début novembre, Jan reçoit une commande importante : un portrait de groupe des régents de la léproserie. Il refuse.

— Mais pourquoi ? s'étonne Jacob.

— Parce que je dois partir.

— Quoi !

Jan hésite un instant.

— Je suis navré, Jacob. Je voulais t'en parler, dit-il en se laissant tomber lourdement sur le lit. Les événements se sont un peu précipités ces derniers temps. Je dois prendre la mer.

— Quand cela ?

— Dans deux semaines. Pour une affaire urgente.

— Quand rentrerez-vous ?

Jan hoche la tête.

— Jamais. Je pars pour toujours, annonce-t-il en se redressant et en regardant Jacob comme s'il le voyait pour la première fois. Je suis désolé.

Furieux, l'apprenti pose son pinceau d'une main tremblante.

— Vous ne pouvez pas faire cela. Vous vous êtes engagé à me garder deux ans en apprentissage.

— Si seulement tu connaissais les circonstances...

— Vous avez donné votre parole !

— ... tu comprendrais sûrement...

— Mes parents vous paient cinquante florins l'an...

— Je les rembourserai...

— Et mon examen de compagnonnage ? Comment pourrai-je entrer dans la guilde si...

— Je me chargerai de te trouver un autre maître. Mattheus pourrait te prendre à son service. Je suis sûr qu'il y a moyen de s'arranger. J'insisterai...

— Vous... vous... bredouille Jacob, qui n'est pas habitué à jurer. Vous n'êtes qu'un misérable !

Jan pose une main apaisante sur son bras.

— Jacob, crois-moi, il s'agit d'une affaire capitale.

— Pour vous, rugit le jeune homme en s'écartant vivement.

Au même moment, on frappe à la porte. Jan va ouvrir.

191

Un garçon entre. Tout ceci n'est qu'un coup monté, songe Jacob. Jan cherche à se débarrasser de moi afin de pouvoir prendre un autre apprenti. J'ai trop de talent, voilà la raison, il craint que je ne lui fasse de l'ombre.

Le garçon remet une enveloppe à Jan.

Ce dernier l'ouvre et en vérifie le contenu. Puis il s'approche de son coffre-fort et fouille dans ses papiers. Il en sort une bourse pleine d'argent qu'il tend au messager.

— Il s'agit d'un premier versement. Je lui donnerai le reste le jour de... N'aie crainte, nous nous sommes arrangés.

Il griffonne quelques mots sur un morceau de papier.

— Voici ma parole écrite.

Un peu plus tard, Jan sort. Il ne prend jamais la peine de verrouiller son coffre-fort. Est-il possible d'être aussi négligent !

Jacob ouvre la boîte et en sort l'enveloppe. Elle contient deux billets pour Batavia, dans les Indes orientales, à bord de l'*Impératrice d'Orient*, qui doit prendre la mer le quinze novembre prochain.

38

MARIA

Bien qu'il soit prisonnier de ton filet,
prends garde que l'oiseau ne t'échappe.

Jacob Cats, *Emblèmes moraux*, 1632

Le bébé tarde à venir au monde. La naissance était prévue pour la première semaine de novembre et nous voilà au douze. Maria est prise dans un dilemme. Elle voudrait qu'il se dépêche de naître afin d'en finir une bonne fois pour toutes, car elle se sent redevable envers ses complices. Plus vite elle s'acquittera de ses obligations et plus vite ils pourront s'enfuir. Sophia lui a dit que leur départ était prévu pour le quinze. Le temps presse. Si le bébé n'est pas né d'ici là, il leur faudra annuler le voyage et le reporter de plusieurs semaines, voire de plusieurs mois.

Cependant, au fond d'elle-même, elle est terrorisée. « C'est comme si on te déchirait de l'intérieur, disait sa grand-mère en battant le beurre. C'est comme si on t'arrachait les boyaux. » Boum, boum, faisait la baratte. « C'est comme si on t'ouvrait le ventre avec une lame rougie au feu. »

Comme sa mère et sa grand-mère lui manquent maintenant que l'heure approche ! Elles lui manquent plus encore que Willem. Car qui va prendre soin d'elle désormais ? Certainement pas sa maîtresse. Elle sera occupée ailleurs. Maria se sent soudain terriblement seule.

Cette nuit-là elle a du mal à s'endormir. Le bébé ne cesse de remuer et son ventre est dur comme de la pierre. Elle ne peut pas se retourner dans le lit. Elle prie le ciel pour ne pas accoucher le lendemain, car ce sera le treize, un jour maudit. Oh, mon Dieu, faites qu'il naisse après-demain !

Le rêve qu'elle a fait quelques mois plus tôt lui revient. Tout un chapelet d'enfants sort de son ventre... Elle nage dans la maison engloutie, son palais sous la mer, ses enfants agitant leurs petites nageoires à sa suite.

Le lendemain matin, alors qu'elle est en train d'étêter des sprats, elle ressent les premières douleurs.

39

SOPHIA

Tu récolteras ce que tu as semé.

Jacob Cats, *Emblèmes moraux*, 1632

J'entends un cri perçant. Je me précipite à la cuisine et trouve Maria pliée en deux. Le travail a commencé.

Je l'aide à monter au grenier. Une volée de marches, puis une autre, et encore une autre. Cet escalier n'a donc pas de fin ! Arrivée en haut, elle est prise d'une violente contraction qui l'oblige à s'asseoir.

J'ai préparé de quoi faire du feu dans la petite chambre. Je l'allume et m'assieds sur le lit.

— Je veux ma mère, gémit Maria. Ne partez pas.

— Je reviens tout de suite.

— Non, ne partez pas !

Sans l'écouter je redescends aussitôt l'escalier et file chez la voisine.

40

MME MOLENAER

La peur est un inventeur de génie.

Jacob Cats, *Emblèmes moraux,* 1632

Mme Molenaer est dans son salon. Tout en changeant le petit Ludolf, son dernier-né, elle lui fredonne une comptine :

Dors, mon petit mignon, dors
Dehors l'agneau gambade
Sur ses petits pieds tout blancs,
Il boit le bon lait...

Le petit Ludolf pose sur elle un regard adorateur. Mme Molenaer est une femme comblée. Chaque jour, elle rend grâce à Dieu. Elle vit dans une belle maison de Herengracht. Son époux est un brave homme et un bon père de famille. Inspecteur en chef de l'Hygiène, il occupe un rang élevé dans la société. Il donne généreusement aux pauvres et possède une belle voix de baryton. Il passe ses soirées en famille, vêtu de son béret et de sa robe d'intérieur, et ne cesse de répéter : « Je ne connais pas plus grand bonheur au monde. » Il joue aux dames avec son fils aîné pendant des heures. Il possède une patience infinie.

Soudain, un grand coup résonne à la porte, tirant Mme Molenaer de sa rêverie. La servante fait entrer Sophia, sa voisine, dont la grossesse touche à son terme.

— Les douleurs ont commencé, halète Sophia en se tenant le ventre à deux mains. Auriez-vous la gentillesse de faire prévenir mon mari à l'entrepôt ?

Elle se fige sur place, pliée en deux de douleur. Elle respire bruyamment pendant quelques instants puis se redresse.

— Et pourriez-vous envoyer un laquais chez la sage-femme ? dit-elle en fourrant un morceau de papier dans la main de sa voisine. Voici son adresse. Dites-lui que c'est urgent.

— Ma chère, s'écrie Mme Molenaer, je vais vous raccompagner chez vous et...

— Non, non ! C'est inutile. Ma servante veillera sur moi jusqu'à l'arrivée de la sage-femme.

Sophia disparaît aussitôt. Mme Molenaer fait la grimace. Pourquoi diable la domestique ne se charge-t-elle pas elle-même de ses commissions ? A-t-on idée de laisser sortir sa maîtresse en pareil moment ? Décidément, cette grosse loche de Maria n'est bonne à rien. Ces derniers temps, elle passe ses journées à se prélasser sur sa chaise, comme si elle éprouvait à tout instant le besoin de se reposer de travaux qui n'ont pourtant rien d'éreintant. La jeune femme est devenue énorme à force de paresse. Et insolente avec ça.

Mme Molenaer essuie les fesses de Ludolf avec un linge humide. Ce n'est pas sa servante qui oserait se comporter ainsi. Mais il est vrai que, grâce à Dieu, Mme Molenaer a toujours eu d'excellents domestiques.

41

CORNELIS

Plus tu regardes cette fleur et plus elle te semble belle,
Et pourtant, elle est déjà en train de se faner sous l'éblouissante lumière du soleil.
Prends garde, la seule fleur éternelle est la parole de Dieu.
A côté d'elle, le reste du monde n'est rien.

Jan Brueghel l'ancien

Cornelis fait les cent pas. Des cris de douleur lui parviennent depuis la chambre de Sophia. Son cœur se serre dans sa poitrine. Si seulement il pouvait accoucher à sa place ! Il donnerait tout ce qu'il a pour pouvoir soulager ses souffrances.

Par deux fois déjà il a retourné le sablier. Voilà deux heures que le travail a commencé. Cornelis tourne en rond comme un lion en cage. Il compte les carreaux de marbre, mesurant ainsi le temps écoulé entre deux cris de douleur... noir... blanc... noir... blanc... comme s'il avançait sur un échiquier géant. Après tout, nous ne sommes que des pions entre les mains de Dieu.

Il règne un calme inhabituel, comme si la maison tout entière retenait son souffle. Dehors il fait gris. La lumière du jour filtre difficilement à travers les carreaux. Sur la table de chêne sont disposés le sablier, une pomme, ainsi qu'une paire de chandeliers parfaitement astiqués. Ils forment une étrange composition. Les Français appellent cela des natures mortes. Une expression qui lui donne la chair de poule.

Un hurlement lui parvient du premier ; un cri rauque, inhumain. Son sang se glace dans ses veines. Ses yeux tombent sur une toile accrochée au mur, *Suzanne et les vieillards*. Les chairs généreuses de la femme semblent le narguer. Il fut un temps où il trouvait ce tableau excitant, mais à présent il le dégoûte, car voyez où ses désirs bestiaux l'ont conduit, voyez quelle souffrance il a infligée à l'épouse qu'il aime. Chaque soir, elle s'est soumise humblement à sa concupiscence, et voilà le résultat ! Elle souffre le martyre sans qu'il puisse rien pour elle.

Oh, Dieu glorieux et tout-puissant, nous, tes créatures, misérables pécheurs, t'implorons de nous venir en aide en cette heure de détresse... Sauvez-la, oh, Seigneur...

Noir... blanc... noir... blanc... à présent le nombre de pas entre deux cris diminue. Les contractions sont de plus en plus rapprochées.

Aie pitié de nous, et entends notre prière venue du fond de la souffrance... Ecoute-moi, oh, mon Seigneur, mon Dieu...

Noir... blanc...

Car nous adorons ta divine majesté et supplions ta pitié... aide-nous au nom de la miséricorde...

La sage-femme dégringole l'escalier et fait irruption dans le salon.

— Vite, il faut aller quérir le docteur Sorgh, dit-elle.

— Que s'est-il passé ?

— Rien de grave, rassurez-vous, mais j'ai besoin de son assistance.

La sage-femme lui donne l'adresse. Mais où diable est passée la domestique ? Furieux, Cornelis saisit sa pèlerine. Il va devoir y aller lui-même. Comment Maria ose-t-elle disparaître en pareil moment ? Tout à l'heure, lorsqu'il est rentré en catastrophe de l'entrepôt, Sophia lui a dit qu'elle était allée faire une course chez le tailleur, mais il y a des heures de cela. La boutique du tailleur ne se trouve qu'à quelques pas. Où diable est passée la drôlesse ?

Cornelis s'empresse d'aller chercher le médecin. Dehors, il commence à pleuvoir.

42

JAN

Qui trop amasse se retrouve les mains vides.

Jacob Cats, *Emblèmes moraux*, 1632

Jan, la pipe au bec, arpente son atelier dans un tourbillon de fumée. Dehors, il pleut. Midi... par trois fois depuis qu'il a reçu le message de Sophia il a retourné le sablier. Voilà trois heures que le travail a commencé.

Jan se sent impuissant, inutile, alors que la vie de deux femmes est en danger. Ces dernières semaines, trop absorbé par ses affaires, il n'a pas eu une seule pensée pour Maria. A présent, lorsqu'il songe à ce qu'elle est en train d'endurer, chaque fibre de son corps le fait souffrir. Et Sophia ! Elle s'apprête à jouer sa dernière carte. Quelle femme exception-nelle, ou plutôt, quelles femmes exceptionnelles ! Mais lui ? A part fumer frénétiquement sa pipe, il n'est bon à rien. Il est tellement retourné qu'il en a des crampes d'estomac. Il prie le ciel pour que Maria accouche d'un enfant en bonne santé, car cet accouchement sera sa délivrance.

Oh, Seigneur, si dans ta grande sagesse tu épargnes cette femme, je jure de réparer mes fautes et de te servir dans la rectitude jusqu'à la fin de mes jours...

Il a besoin de Dieu à présent. Après avoir enfreint gaiement un à un ses commandements : « Tu ne convoiteras point la femme de ton prochain... Tu ne commettras pas l'adultère... » Et dire qu'il se moquait des scrupules de Sophia ! Lorsqu'ils auront quitté la Hollande il est décidé à devenir un autre homme. Peut-être même se convertira-t-il au catholicisme. Il essaie de se représenter Batavia, au sujet de laquelle il a glané quelques renseignements complémentaires. Envolés ses rêves de paresse à l'ombre des palmiers ! Ce n'était qu'une illusion. Batavia, il le sait à présent, est un lieu civilisé. Construite sur les ruines de l'ancienne Djakarta, la ville est en passe de devenir une petite Amsterdam : maisons à pignons, canaux, passerelles, tribunal, églises. On y trouve même des moulins mus par l'énergie tirée de la chaleur suffocante.

Jan conclut un marché avec Dieu : si, dans sa bonté, le Tout-Puissant daigne les épargner, lui et Sophia deviendront des citoyens modèles. Ils seront les piliers de cette nouvelle colonie et se rendront deux fois à l'église chaque dimanche. Il en fait le serment de tout son cœur.

43

CORNELIS

Les espoirs de l'homme sont fragiles comme le verre, c'est pourquoi la vie est courte.

Anonyme

Cornelis est de retour avec le médecin. Ils sont trempés jusqu'aux os. Le docteur Sorgh se dirige aussitôt vers l'escalier. Voyant que Cornelis lui emboîte le pas, il l'arrête en disant :

— Non, monsieur, restez ici.

— Mais je...

— Ce n'est pas la place d'un mari. Si vous voulez vous rendre utile, allez plutôt faire bouillir de l'eau.

Puis il se hâte de monter.

— Maria ! hurle Cornelis.

Pas de réponse. Mais où est donc passée cette fille de malheur ?

Un cri lui parvient soudain depuis la chambre à coucher. Son sang se glace dans ses veines. Si seulement il pouvait réconforter son épouse. Il a beau savoir que sa place n'est pas auprès de l'accouchée, il éprouve le besoin d'être à ses côtés.

203

Il se rend à la cuisine et actionne la pompe pour remplir une cruche. Ses mains tremblent. Pourquoi diable Sophia a-t-elle insisté pour engager ce médecin plutôt que le docteur Brusch ? Avec son zézaiement et ses gestes saccadés, ce docteur Sorgh ne lui inspire guère confiance. Sans compter qu'il a les cheveux roux, signe de moralité douteuse.

Cornelis verse l'eau dans le chaudron et ranime le feu. Il vient rarement à la cuisine ; c'est le domaine de Sophia et de sa servante. Il inspecte les casseroles de cuivre suspendues au mur. Derrière les portes vitrées du vaisselier, il aperçoit les plats et les saucières qu'il a vus trôner maintes fois sur la table du dîner. Comme son petit royaume est bien ordonné ! Aidée de sa servante, sa femme lui prépare ses repas avec une dévotion attentive. Sur la table il avise un plat. Il soulève le couvercle et découvre des sprats étêtés. Dieu qu'ils ont triste mine ! Leurs têtes triangulaires empilées dans un coin semblent le dévisager d'un œil torve et vitreux.

44

JAN

Réfrène tes désirs si tu ne veux point som-
brer dans le chaos.

Aristote

La nuit est tombée. La pluie fouette les carreaux. Sept heures se sont écoulées, et toujours rien. Jan sait qu'il ne recevra pas de nouvelles avant longtemps. Comme lui, il y a dans cette ville d'autres personnes qui attendent, prêtes à passer à l'action dès que Maria aura accouché.

Sept heures déjà ! Comme le temps lui paraît long ! Et pourtant, lui-même n'a-t-il pas tardé deux jours entiers à venir au monde ? Au point que sa pauvre mère a failli en mourir. Si seulement il pouvait se rendre à Herengracht ! Il voudrait être sûr que tout se passe comme prévu. Car, ne pouvant s'en assurer, il se sent coupé du monde. A mesure que le temps passe, l'anxiété laisse peu à peu place à une sensation d'irréalité.

Même son atelier lui semble méconnaissable. Il a déjà fait ses bagages et se tient prêt à partir. Ses toiles alignées contre le mur ont été enveloppées dans des sacs de toile, prêtes à être livrées chez Hendrick Uylenburgh, le marchand de tableaux, avec ordre de les vendre et de lui faire parvenir l'argent. Jan n'emporte avec lui que ses esquisses et les portraits de Sophia. Ils sont rangés dans sa malle, avec ses effets personnels et deux robes que sa bien-aimée a réussi à sortir en secret de chez elle. Dans deux jours, Sophia et lui seront loin. Maria a accouché juste à temps. Demain il épongera toutes ses dettes, et le quinze, à l'aube, ils prendront la mer. Jusqu'ici tout s'est déroulé comme prévu. Il ne lui reste plus qu'à gagner le dernier pari sur lequel toute l'entreprise repose.

Jan prend un morceau de fromage et le glisse dans un petit pain fendu en deux. Il est seul. Jacob est parti la semaine dernière, furibond, en claquant la porte. Seul Gerrit continue à faire une apparition de temps à autre. Il ne semble guère ému par le départ imminent de son maître. Le patron de la taverne voisine l'a embauché pour décharger les barriques. Il y travaille à plein temps désormais. Jan éprouve une certaine affection pour son serviteur. Lorsqu'il sera rentré dans ses frais, avant de prendre la mer, il le paiera grassement pour le récompenser de ses bons et loyaux services.

Un éclair fend le ciel. Jan sursaute. Le tonnerre claque au-dessus de sa tête avec un bruit sec, comme une toile qui se déchire.

45

CORNELIS

La fin nous rend tous égaux.

Jacob Cats, *Emblèmes moraux*, 1632

Il est tard. Dehors la tempête fait rage. Assis au coin du feu, Cornelis boit un cordial, l'air pensif. Les cris ont cessé depuis peu. Il règne à présent un silence de mort dans la maison.

Il attend. On lui a ordonné de ne pas bouger. Malgré sa robe d'intérieur il frissonne, car dehors il fait froid et le foyer de la cheminée ne dégage pas suffisamment de chaleur pour réchauffer cette pièce immense. Mais cela lui est égal ; il a envie de souffrir lui aussi, à son humble manière.

C'est alors qu'un petit vagissement lui parvient du premier, un cri minuscule mais reconnaissable entre tous.

Il l'entend à nouveau, un frêle miaulement de chaton. Une joie ineffable s'empare soudain de lui. Il se laisse tomber à genoux et se met à prier. Oh, Seigneur, je te remercie de tout mon cœur d'avoir exaucé mes prières...

Il s'arrête. Des pas résonnent dans l'escalier.

La sage-femme entre. C'est une grande et forte femme, aussi trapue qu'une porte d'étable. Elle tient un paquet dans ses bras. Cornelis se relève.

— Monsieur, dit-elle, vous êtes père d'une jolie petite fille.

Le paquet remue. Il aperçoit une touffe de cheveux noirs et humides. Il s'apprête à dire quelque chose, puis s'arrête en voyant l'expression figée de la sage-femme.

— Toutes mes condoléances, dit-elle. Nous n'avons pas pu sauver votre épouse.

Au premier, le docteur Sorgh l'arrête sur le pas de la porte.

— Rien qu'un instant. Il ne faut pas vous attarder. Et surtout ne la touchez pas, il y a un risque de contagion.

— Un risque de contagion !

Le médecin s'explique :

— J'ai des raisons de penser que votre femme souffrait d'une fièvre infectieuse.

— La peste ? bredouille Cornelis en écarquillant les yeux.

C'est impossible, il rêve.

Il repousse le médecin des deux mains avec un geste mécanique, puis entre dans la chambre. Il y règne une chaleur suffocante. Une odeur âcre, mêlée à un parfum douceâtre de violette, le prend à la gorge.

La tête de Sophia est recouverte d'un drap que le médecin abaisse brièvement, révélant un visage pâle et serein, luisant de sueur.

— Nous avons fait tout notre possible, dit-il. Elle repose en paix, à présent. Dieu ait son âme.

Cornelis se penche au-dessus de sa femme pour l'embrasser mais, d'un geste vif, le médecin l'en empêche.

— Non, monsieur, ordonne-t-il en le tirant en arrière. Il faut au plus tôt désinfecter cette pièce par fumigation et brûler la literie. Des précautions nécessaires, hélas... les humeurs, le sang...

La chambre semble soudain à Cornelis étrangement aveugle. Le médecin a retourné tous les tableaux face au mur, ainsi que le veut la coutume. Cornelis garde les yeux fixés sur sa femme. Ce n'est pas possible, elle est en train de lui jouer une farce. Elle fait semblant. Dans un instant elle va ouvrir les paupières et se relever : « Tout va bien, mon très cher. Voyez comme notre fille est belle ! »

Le médecin l'entraîne hors de la chambre. L'odeur écœurante persiste dans les narines de Cornelis. Il regarde Sophia une dernière fois. Sa longue silhouette fait saillie sous le drap trop court qui, remonté sur sa tête, révèle ses deux pieds nus. S'il attend encore un peu elle va remuer les orteils. Elle n'aime pas dormir dans cette position ; elle se recroqueville toujours en chien de fusil, les genoux ramenés sous le menton.

Le docteur Sorgh referme la porte et l'accompagne au rez-de-chaussée. « Comment puis-je la laisser seule ? » songe Cornelis, désemparé.

Ils s'asseyent au coin du feu. Seul le médecin parle ; Cornelis est incapable de dire un mot. Il a la gorge nouée. Il ne peut pas y croire.

— Les eaux souillées de cette ville sont probablement à l'origine de son mal. Savez-vous combien de gens sont morts de la fièvre cet automne ?

Cornelis n'en a pas la moindre idée et il n'en a cure.

— Aviez-vous remarqué chez elle des signes de faiblesse ?

Cornelis essaie de se souvenir, mais son esprit confus refuse de lui obéir.

— S'était-elle plainte de migraines dernièrement ?

Sa femme est morte brutalement, comme une bougie qui s'éteint.

— Monsieur ? insiste le médecin.

— Oui, répond Cornelis. La semaine passée, par deux fois elle est allée se coucher en se plaignant de maux de tête.

— La fièvre attaque le cerveau. Avez-vous remarqué qu'elle agissait de façon inhabituelle ?

Cornelis ne répond pas. Sophia se comportait, en effet, de façon étrange. Elle ne voulait pas qu'il la touche et sursautait chaque fois qu'il s'approchait.

— L'un des symptômes est la sensibilité de l'épiderme, dit le médecin. Il s'enflamme au moindre contact.

— Vous l'avez suivie tout au long de sa grossesse ! explose Cornelis. Pourquoi ne m'avez-vous pas dit qu'il y avait une épidémie ?

— Je comprends votre émotion, monsieur, mais je ne pouvais pas prévoir qu'elle allait succomber à cette fièvre-ci. J'ai simplement remarqué, lors de mon premier examen, qu'elle était de constitution délicate. La moindre excitation peut provoquer une inflammation de la matrice qui se répand ensuite dans le sang jusqu'au cerveau. (Il toussote.) C'est la raison pour laquelle j'avais suggéré... l'abstinence conjugale.

Il fait une pause. Cornelis observe les mains blanches du médecin. Pourquoi n'ont-elles pas réussi à la sauver ?

— Le corps...

— Comment osez-vous l'appeler ainsi !

— Je vous prie de m'excuser. Votre épouse... ne peut rester ici. Je vais prendre des dispositions afin que sa dépouille soit immédiatement ôtée de la maison en attendant les funérailles.

Le docteur Sorgh croise les doigts.

— C'est une perte cruelle, je sais. Mais grâce à Dieu votre enfant est en parfaite santé.

Cornelis est anéanti. Autour de lui, le monde entier s'agite en proie à une activité fébrile. Des voix étouffées lui parviennent du premier, des portes s'ouvrent et se ferment. Un bruit pesant de pas résonne dans l'escalier ; des hommes sont venus chercher la dépouille de son épouse. Au passage, ils heurtent le mur. Comment osent-ils lui faire ça ? Elle ne leur appartient pas.

Quelqu'un lui a mis une tasse de gruau entre les mains. C'est probablement Mme Molenaer. Il est minuit passé, et toutes les commères du quartier sont là. Elles sont aux petits soins pour lui, mais il est trop abattu pour pouvoir les remercier, ou même les saluer.

Il n'arrive pas à croire que sa femme est morte. Il a l'impression de rêver. Sophia est trop vivante pour pouvoir mourir. Son tambour à broderie repose sur son fauteuil, là où elle l'a laissé. Sa chaufferette gît à terre, attendant qu'elle y pose son pied menu. Lorsqu'il rouvrira les yeux, elle sera assise en face de lui, souriante, le nez penché sur son ouvrage. Elle remue sur son siège avec un petit soupir, puis pose son autre pied sur la chaufferette. Comment Dieu a-t-il pu lui jouer un tour aussi cruel ? Quelle sorte de Dieu est-ce là, qui se complaît ainsi à le faire souffrir ?... Cornelis se revoit enfant, en train de marcher sur la grève. Son père presse un coquillage contre son oreille. Un grondement lointain lui emplit les oreilles. « C'est le souffle de Dieu, lui dit son père. Si tu peux l'entendre, il t'entendra lui aussi. »

Dehors l'orage a cessé. Cornelis a regagné son lit. L'aurore commence à poindre. Une lumière grisâtre filtre à travers les épais carreaux de la fenêtre. L'absence de Sophia lui pèse. Il ressent comme un vide, une immobilité, un manque. Le courant a emporté sa femme tel du bois flotté. Avec quel silence, quelle résignation elle est passée de vie à trépas ! Les années qu'ils ont passées ensemble lui semblent n'avoir été qu'un rêve, le rêve d'un vieil homme qui contemple ses tableaux et prend conscience que les gens posant ainsi dignement pour la postérité ont cessé d'exister depuis longtemps. Ce ne sont que des ombres... la lumière d'une bougie révélant l'éclat d'une robe bleue, l'inclinaison d'une tête, un verre de vin bu il y a déjà bien des années. Qui ne fut peut-être jamais bu, du reste. Toutes ces choses ont définitivement disparu. Les tableaux retournés contre le mur sont là pour l'attester.

L'art se conjugue au temps présent, pense-t-il, bien après que les mortels sont retournés à l'état de poussière. Il s'agit là sans doute d'une réflexion importante, mais il est trop accablé pour en dégager le sens profond.

Il a dû s'endormir. Avant de partir, le médecin lui a administré une épaisse potion au goût amer. Le chagrin n'a pas encore submergé Cornelis ; il attend, tapi dans l'ombre comme un voleur.

Maria entre. Il l'avait complètement oubliée. Elle marche en titubant, on dirait qu'elle est ivre. Elle entre d'un pas traînant, comme quelqu'un qui souffre, et s'agrippe à un fauteuil.

— C'est une perte terrible, monsieur, dit-elle.

Elle a le visage terreux, les cheveux défaits.

Il se demande vaguement où elle pouvait être au moment de l'accouchement. Cependant son esprit est trop embrouillé et il n'a pas la force de l'admonester.

— Oh, monsieur, quel malheur !

— Ma pauvre fille.

Non, elle n'est pas ivre, mais simplement bouleversée.

Elle se laisse tomber lourdement sur le fauteuil.

— Oh, monsieur, gémit-elle en jetant un coup d'œil au berceau d'où émerge un petit cri, un frêle miaulement.

Il avait oublié l'enfant. Maria se penche vers le nourrisson puis s'arrête brusquement, les traits tordus par une grimace de douleur. Elle prend le bébé dans ses bras.

— C'est un grand malheur, monsieur. Votre épouse est morte par la volonté de Dieu, mais il vous a également donné une fille.

Elle berce le bébé en caressant doucement sa petite tête humide.

— Une belle petite fille en bonne santé pour laquelle vous devriez remercier le ciel.

Elle embrasse l'enfant, se repaît de son odeur.

— Je vais m'occuper d'elle comme de ma propre fille.

A ces mots, Cornelis éclate en sanglots. Il n'a pas la force de se retenir. En le voyant s'effondrer ainsi, Maria sent les larmes lui monter aux yeux. Elle s'approche de lui et dépose l'enfant dans ses bras.

46

Après la tempête

> *Ils ne vivent généralement pas aussi vieux que sous d'autres climats plus cléments, et commencent à décliner de bonne heure, hommes et femmes pareillement, en particulier à Amsterdam... Les pestes n'y sont pas fréquentes, ou tout au moins pas suffisamment pour que les gens d'ici y attachent une grande importance ; ils s'efforcent d'en parler le moins possible, n'en font pas mention dans les registres de décès, ne prodiguent pas de soins particuliers aux malades. La raison à cela est-elle une foi aveugle en la Providence, ou une préférence pour le commerce qui fait passer l'intérêt de la nation avant celui des individus ?*

William Temple, *Observations sur les Pays-Bas*, 1672

Après la tempête, le calme est revenu. Le jour se lève, ensoleillé et froid. Les rues sont jonchées de branches d'arbres semblables à des membres arrachés. Occupés à réparer les dégâts, les gens s'agitent comme des fourmis dont on vient de renverser la fourmilière. Comme ils mettent du cœur à l'ouvrage ! Les Hollandais sont un peuple industrieux et plein de ressources. Quand leurs terres sont inondées, ils les assèchent et les entourent de digues. Ils sont habitués à subir la colère de Dieu, qui déclenche les tempêtes pour mettre leur foi à l'épreuve.

Dans Herengracht, le soleil répand sa lumière sur les belles demeures à pignons, réchauffant leurs élégantes façades de brique et leurs huis rehaussés d'ornements de pierre sculptée. Il fait scintiller les carreaux plombés de leurs nombreuses croisées. Quel spectacle éblouissant ! Ces maisons sont de véritables monuments à la prospérité et la bonne fortune de ceux qui les habitent.

L'autre côté de la rue, en revanche, est plongé dans l'ombre. Il y règne un silence inhabituel. Chez Cornelis Sandvoort les volets sont clos. Cette nuit, la mort a frappé. Sa jeune épouse a succombé à l'accouchement. Assemblés devant chez lui, ses voisins devisent en hochant la tête. Quel malheur que le destin ait frappé cet homme pour la deuxième fois ! Il espérait sans doute que son épouse serait un jour son bâton de vieillesse. D'aucuns disent qu'elle a été emportée par la fièvre infectieuse. Ce n'est qu'une rumeur, bien sûr, mais on a jugé plus prudent d'ôter le corps. Contrairement à l'usage, la dépouille ne sera pas exposée après la mise en bière.

M. Sandvoort a veillé toute la nuit. Il est sûrement en train de dormir à présent. Ses voisins vont attendre un peu avant de lui présenter leurs condoléances. Mais s'ils tendent l'oreille ils entendront un faible vagissement derrière les volets clos. Une vie a été reprise pour qu'une autre soit donnée.

47

JAN

Celui qui envoie des messages par un fou se coupe les pieds et boit la peine du tort qu'il se fait.

Proverbes XXVI

Jan est tiré du sommeil par un coup frappé à la porte. Dehors, le soleil brille ; il est midi. Il a passé une nuit agitée et n'a réussi à s'endormir qu'au petit jour.

C'est Gerrit. Il a piètre allure avec ses bras ballants et sa grosse face écarlate.

— Je suis venu vous dire adieu, monsieur, et vous souhaiter bonne chance.

— Ah ! je vois. Tu es venu chercher tes gages.

Gerrit entre en traînant les pieds, l'air embarrassé.

— Juste le temps de m'habiller, dit Jan, et je suis à toi.

— Je repasserai plus tard...

On frappe à nouveau à la porte. Gerrit va ouvrir pendant que Jan enfile ses chausses. C'est le docteur Sorgh. Il a l'air exténué, le visage gris, les yeux cernés.

Jan lui offre un siège.

— J'ai bien reçu votre message.

Sorgh opine du chef.

— Tout s'est bien passé, dit-il. Dieu merci, la femme est robuste.

Jan n'est pas encore bien réveillé. Il croit d'abord que le médecin se réfère à Sophia. Puis il comprend.

— Je ne sais comment vous témoigner ma gratitude, marmonne-t-il en boutonnant sa chemise.

— Je suis venu toucher mon dû. Pouvons-nous parler librement ? demande-t-il en désignant Gerrit.

Jan hoche la tête. Sa vessie va exploser. Si seulement le docteur Sorgh pouvait repasser un peu plus tard, il aurait le temps de rassembler ses esprits. L'idée de devoir payer pour une chose qu'il n'a pas encore pu vérifier ne l'enchante guère.

— Va chercher du vin à la cuisine, ordonne-t-il à Gerrit.

Celui-ci obtempère.

— Voici la note pour mes services et ceux de la sage-femme, dit Sorgh. Il y a un petit supplément pour... euh, les porteurs du cercueil qui n'avaient pas été inclus dans le contrat initial.

— Revenez cet après-midi, à l'heure qui vous plaira, et je vous réglerai.

Jan lui explique la situation. Un mois plus tôt, moyennant une somme conséquente, il a acheté un bulbe de Semper Augustus. Pour plus de sûreté, le tulipier, M. Van Hooghelande, a gardé chez lui le précieux oignon.

— Vous savez sans doute que sa valeur a beaucoup fluctué ces derniers temps, s'exclame Jan d'une voix rendue stridente par l'excitation. Son prix a tout d'abord doublé avant de s'effondrer ; puis il est remonté et, si j'ai été bien informé, hier au soir, à la clôture des enchères, il valait quatre fois le prix avancé. Et il a encore monté aujourd'hui !

Mais le médecin ne semble guère intéressé. Il demeure impassible, ses longues mains blanches jointes devant lui.

— Je m'en vais de ce pas chercher le bulbe, dit Jan. Il y a plusieurs coteries qui attendent à l'auberge du Coq, prêtes à faire monter les enchères. Vous aurez votre argent ce soir, au plus tard.

On frappe à nouveau à la porte. Cette fois, Gerrit revient avec un jeune garçon.

— Je suis venu me faire payer les billets, dit ce dernier.

— Les billets ? demande Jan sans comprendre.

— Les deux billets pour Batavia, répond le garçon. A bord de l'*Impératrice d'Orient*.

— Mais il était convenu que je réglerais tout le jour du départ...

— Comme vous appareillez à l'aube, mon maître a jugé préférable que vous payiez la veille.

— Vous quittez le pays ? s'enquiert le médecin, soudain sur ses gardes.

— Pour toujours, commente Gerrit.

— Bon, bon ! Je cours chercher le bulbe, dit Jan en se tournant vers le docteur. Revenez ce soir à dix-huit heures. Tout sera réglé d'ici là.

Un ange passe. Le médecin laisse errer son regard sur les malles du peintre, sur le jeune créancier qui s'impatiente.

— Je préférerais attendre ici, si vous n'y voyez pas d'inconvénient.

Jan lui lance un regard surpris.

— Plaît-il ?

— Surtout n'y voyez aucune malice, monsieur, mais dans mon métier... compte tenu de la clientèle avec qui je traite... je suis obligé de prendre certaines précautions.

— Seriez-vous en train d'insinuer que j'essaie de me dérober ? s'écrie Jan interloqué.

Le médecin hausse les épaules.

— J'aurais préféré ne pas avoir à dire les choses aussi crûment.

— Vous ne me faites pas confiance ?

Un silence pesant s'installe dans la pièce. Les trois hommes dévisagent le peintre.

— Je vous en prie, dit le médecin, ne le prenez pas mal. Je préférerais simplement que vous et moi restions ici pendant que votre serviteur se charge de faire la commission.

Jan se lève.

— Pourquoi ne venez-vous pas avec moi ?

Il avance vers la porte.

— Si vous avez peur, accompagnez-moi. Tous les deux.

— J'ai reçu ordre de rester ici, répond le jeune créancier. Et de ne point quitter la maison tant que vous ne m'aurez pas remis l'argent en mains propres, monsieur.

Les voilà dans l'impasse. Jan dévisage tour à tour les deux hommes. Le docteur Sorgh fait mine d'examiner sa manche. Le garçon tripote nerveusement son béret.

— Envoyez votre domestique, réitère le médecin. Et ainsi... l'affaire sera réglée.

Jan se laisse choir pesamment sur le lit. Gerrit hausse un sourcil ahuri. Il n'est pas certain d'avoir bien compris ce qu'on attend de lui, mais il n'aime pas voir son maître dans l'embarras.

La solution proposée par Sorgh est loin d'être idéale. Bien qu'il ait une confiance aveugle en Gerrit, Jan n'est pas sûr qu'il puisse mener à bien une mission de cette importance. Comme les autres, Gerrit attend.

Jan l'emmène à la cuisine.

— Gerrit, tu as entendu ce qu'a dit le docteur. Tu vas aller faire une course pour moi. Ce sera la dernière. Et ne traîne pas en route, compris ?

Gerrit acquiesce d'un hochement de tête.

— Que... que dois-je faire ? dit-il en bégayant, comme si sa langue était soudain trop grosse pour sa bouche.

Il ne faut surtout pas que Gerrit ait idée de la valeur du paquet que va lui remettre Claes Van Hooghelande. Jan est soudain pris d'un doute atroce. Imaginez la réaction de Gerrit s'il apprenait que le bulbe en question vaut le prix d'une maison de Prinsengracht. Un saint n'y résisterait pas. Et même si Gerrit ne cherche pas à prendre la tangente, il risque de se vanter auprès de ses compagnons de boisson. « Tu ne devineras jamais ce que je tiens là ! » Et les amis de Gerrit ne sont pas des enfants de chœur.

Jan décide de lui confier d'autres missions de moindre importance afin de ne pas éveiller ses soupçons.

— Tu vas aller chercher des pigments, ordonne-t-il en lui mettant quelques pièces dans la main. Tiens, voici la liste. Et puis tu passeras prendre une demi-douzaine de tartes à la cannelle pour ces messieurs qui attendent. Et ensuite tu passeras chercher un paquet à cet endroit.

Il écrit l'adresse d'une main tremblante sur un morceau de papier.

— C'est à Sarphatistraat, à l'autre bout de la ville. Tu sauras t'y rendre ?

Gerrit hoche la tête.

— Surtout ne traîne pas en route, compris ?

— Oui, monsieur, répond Gerrit.

Jan lui tapote le dos d'un geste paternel, puis le regarde s'éloigner d'un pas traînant. Au moins prend-il la bonne direction.

Ma vie tout entière repose entre les mains de cet homme, songe Jan.

CORNELIS

> *Le vieillard...*
> *Bien que ses membres soient raides, son*
> *cœur est encore vif,*
> *Il sait que personne ne demeure sur cette*
> *terre, c'est pourquoi*
> *Il s'est fixé des limites et suit scrupuleu-*
> *sement*
> *Les enseignements et les voies du Sei-*
> *gneur, qui mènent à la Porte de la Vie.*

D.P. Pers, 1648

Cornelis rédige le texte du faire-part.

Il a plu à l'éternelle et inaltérable sagesse du Dieu tout-puissant d'accueillir, au sortir de ce monde de tristesse, dans la joie bénie de Son éternel royaume, le treize de ce mois à vingt-trois heures, ma chère épouse Sophia, après que la noble dame ait donné naissance à un enfant...

Il s'arrête, et s'aperçoit subitement qu'il a perdu la foi. Les mots ne sont rien de plus que des gribouillis sur un morceau de papier ; une suite de formules pieuses aussi vides de sens qu'un ordre d'achat pour une balle de coton.

Dieu n'existe pas. Le petit sursaut de piété de Cornelis a définitivement disparu. En trois fois vingt ans il a payé son dû de larmes, de culpabilité et de peur, et qu'a-t-il reçu en échange ? Quelle a été sa récompense ? Deux épouses et deux enfants morts. Quelle sorte de marché est-ce là ?

Toute sa vie durant il a entendu fulminer les prédicants du haut de leur chaire : « Dieu te punira ! Dieu te démasquera, ô pécheur ! Prépare-toi à rôtir dans les flammes de la damnation éternelle ! »

Il en mouillait ses chausses de peur quand il était enfant.

Ils vitupèrent le théâtre, l'usage du tabac et du café, ils condamnent les festivités et les parties de campagne les jours de sabbat, ils jettent l'anathème sur les plaisirs de la vie.

Mais pour qui se prennent-ils, ces bigots aux cheveux longs et aux voix stridentes ? Qui sont-ils pour lui dire ce qu'il doit faire ? Et que savent-ils, ces prédicants de malheur qui se disent les élus de Dieu et voient le péché partout ? Leur seul plaisir est de gâcher celui d'autrui. Quel Dieu voudrait d'eux pour répandre sa parole ? S'ils veulent fulminer, qu'ils fulminent contre le Dieu inique qui a condamné une jeune femme à mourir dans la souffrance alors qu'elle donnait naissance à l'enfant de Cornelis !

Ce dernier repose sa plume et songe : est-ce vraiment la volonté de ce Dieu de sagesse éternelle et inaltérable de rappeler Sophia en son sein ? Quelle sorte de sein est-ce là ? Et d'ailleurs elle n'était pas une « noble dame ». Elle était sa femme bien-aimée. Il revoit son expression soumise quand elle l'écoutait pérorer. Fichtre qu'il était vaniteux ! Comment pouvait-il discourir ainsi, alors qu'il ne connaissait rien ?

Cornelis éprouve soudain une étrange sensation de flottement plutôt agréable. Il se sent léger comme une balle d'avoine. Un souffle de vent suffirait à l'ôter de son fauteuil. C'est le choc, sans doute, ou le chagrin causé par la perte de sa femme qui l'a rendu momentanément fou.

Pourtant, il se sent plus lucide que jamais. La mort de Sophia l'a libéré du doute qui le rongeait depuis des années. Loin de la renforcer, elle lui a définitivement ôté la foi. A présent, il s'envole, aussi léger que les barbes d'un pissenlit. Il monte la rejoindre au ciel, à cela près que le ciel n'existe pas.

En bas, dans le monde réel, Maria fredonne une berceuse. Comme il a de la chance de l'avoir avec lui ! Nul doute métaphysique ne vient jamais troubler son esprit. Elle est dotée du solide bon sens de ceux qui, après s'être acquittés de leurs prières, retournent paisiblement vaquer à leurs occupations. Son pragmatisme a quelque chose de rassurant. Peu lui importe que son maître ait perdu la foi. Elle n'a qu'un seul souci désormais : le bien-être de l'enfant.

Il appellera sa fille Sophia. Sa beauté le touche profondément. Bien qu'elle soit âgée d'un jour à peine, il lui trouve déjà une ressemblance avec sa mère, et elle a hérité des cheveux noirs qu'avait son père avant de blanchir. Il est heureux à présent que ce ne soit pas un garçon. Elle est la fille qu'il n'a jamais eue et il lui enseignera tout son savoir. Il lui apprendra à douter et à ne rien prendre pour argent comptant, car c'est là la seule façon de progresser. Il écoutera ses questions et la laissera grandir dans la liberté de pensée, parce qu'elle n'a pas été conçue dans le péché. Elle ne tremblera pas de peur et ne mouillera pas ses vêtements quand elle ira à l'église. Car elle n'est qu'une enfant, belle et digne d'amour. C'est là le présent que lui a fait sa mère.

49

GERRIT

Pour croître, un sot n'a pas besoin d'être arrosé.

Jacob Cats, *Emblèmes moraux*, 1632

Gerrit s'est juré de ne pas boire une seule goutte d'alcool. Ce ne sont pourtant pas les raisons de trinquer qui manquent : c'est son dernier jour de service chez M. Van Loos ; il va toucher six semaines de gages avec, en prime, un beau pourboire ; dehors il fait soleil et ses cors aux pieds ne le font pas souffrir. Pour Gerrit, il y a toujours quelque chose à arroser.

Mais pas aujourd'hui. Il a une mission à accomplir et entend bien s'en acquitter. M. Van Loos est un bon maître, tolérant, compréhensif et, quand il est en fonds, généreux. Cette fois, Gerrit ne va pas lui faire faux bond. Il se souvient, non sans remords, de certains épisodes peu glorieux du passé. Que voulez-vous, quand il boit il perd complètement la tête. Déjà qu'elle ne contient pas grand-chose ! Ensuite, quand il a cuvé son vin, il regrette, bien sûr, et Jan lui pardonne à chaque fois, car c'est un brave homme.

Gerrit a traversé toute la ville et trouvé Sarphati-straat. Il frappe à l'adresse de M. Van Hooghelande. A l'intérieur, on entend des cris d'enfants. Un homme entrebâille la porte d'un cheveu.

— Je suis venu chercher le paquet, dit Gerrit.

L'homme plisse les paupières, l'air soupçonneux.

— Le paquet pour M. Van Loos, dit Gerrit de la voix sombre de celui qui prend sa mission au sérieux. Le peintre.

M. Van Hooghelande disparaît. Gerrit l'entend descendre un escalier. Une clef tourne dans une serrure, une porte s'ouvre. Puis il entend l'écho lointain d'une deuxième porte qui s'ouvre et se referme.

— Comment t'appelles-tu ? lui demande un petit garçon.

— Gerrit.

Le gamin fourre un doigt dans son nez et le fait tourner comme un tire-bouchon.

— Il y a des monstres, en bas.

— Où ça ?

— A la cave. Mon papa va là-bas quand il veut leur parler.

A nouveau un bruit de verrou, puis M. Van Hooghelande remonte l'escalier. Il tient à la main un petit paquet brun entouré de ficelle. Il le remet à Gerrit, se tapote le nez, puis referme la porte.

Gerrit se remet aussitôt en route. Pourquoi diable l'homme s'est-il tapoté le nez ? Et qui sont ces monstres qui vivent dans sa cave ? D'un coup de pied, Gerrit écarte une branche qui se trouve sur son chemin. Les rues en sont pleines depuis l'orage de la veille.

226

Un chien noyé flotte à la surface du canal. Tout bleu et le poil hérissé, il est gonflé comme une outre. Pauvre *gek*, songe le domestique, ça pourrait bien m'arriver à moi aussi, un jour de cuite.

Mais pas aujourd'hui, car aujourd'hui il ne boira pas.

50

CORNELIS

Y a-t-il meilleur moyen pour une mère d'exprimer son amour à son petit qu'en lui donnant à sucer le lait de son sein ? Car autant qu'un témoignage d'affection, c'est une façon de préserver et de renforcer les liens de l'amour : l'expérience quotidienne nous montre en effet que les mères aiment davantage les enfants à qui elles ont donné le sein.

William Gouge, *Des devoirs domestiques*, 1622

— Nous devons engager une nourrice, dit Cornelis.

— C'est déjà fait, l'informe Maria. Je ne voulais pas vous importuner, monsieur, c'est pourquoi j'ai pris la liberté d'en chercher une moi-même.

— Où est-elle ?

— Elle est venue à midi puis elle est repartie.

— L'enfant a-t-elle tété ?

— Oh, pour ça, oui, dit Maria, l'air rêveur. Elle a bien tété. Comme un ogre.

— Et qui est cette femme ? Quand pourrai-je la rencontrer ? Lui avez-vous préparé une chambre ?

228

Maria hésite.

— Le problème, monsieur, c'est qu'elle est boiteuse. C'est un vrai supplice pour elle que de venir jusqu'ici. C'est pourquoi j'ai songé que je pourrais lui amener la petite quand celle-ci a faim. Vous ne voudriez pas la laisser à demeure chez la nourrice, n'est-ce pas ?

— Certainement pas ! Je veux ma Sophia ici, chez elle.

— Oh, mais bien sûr, acquiesce la servante. Sa place est ici, avec nous. Si vous saviez comme j'y suis attachée, monsieur.

Cornelis est un peu confus. Que se passera-t-il si le bébé se réveille en pleine nuit ? Toutefois, Maria semble prête à assumer cet arrangement. Elle a pris les choses en main et il lui en est reconnaissant. En outre, Hendrijke nourrissant elle-même ses enfants, il n'a jamais eu affaire à une nourrice. Si c'est ainsi que l'on procède habituellement, eh bien soit. L'important est que sa fille puisse rester à la maison. Il a déjà tout perdu, il ne veut pas abandonner son enfant chérie aux mains d'une étrangère.

— Nous sommes sa seule famille, à présent, murmure Maria en déposant le bébé dans son lit.

— Elle a mon nez, vous ne trouvez pas ? remarque Cornelis.

Maria se tient penchée au-dessus du berceau et taquine l'enfant en bougeant la tête ; le vieil homme ne saurait dire si cela signifie oui ou non.

Pour la première fois depuis des mois, Cornelis observe attentivement sa servante. Elle lui est devenue indispensable. Elle a quitté les coulisses pour occuper le milieu de la scène et il se sent soudain pris d'affection pour elle.

229

— Vous avez l'air épuisée, ma bonne, dit-il. Le chagrin, sans doute. Il faut manger et retrouver vos forces. Sophia et moi avons besoin de vous.

Sophia. Prononcer ce nom lui fait un drôle d'effet. Il contient tant d'amour. Il lui faudra laisser passer quelque temps avant de pouvoir le transférer sur un être minuscule et encore vide de sens.

— Moi, je trouve qu'elle ne ressemble à personne, dit Maria en se relevant, le visage cramoisi.

A sa grande surprise, elle lui sourit de toutes ses dents et dit :

— Elle ne ressemble qu'à elle-même.

51

GERRIT

N'oublie jamais : quand on fait un faux
pas on ne peut revenir en arrière.

Jacob Cats, *Emblèmes moraux*, 1632

Gerrit n'a pas traîné. Il a acheté les pigments :
terre d'ombre, indigo et terre de Sienne brûlée. Il
est également passé chez le pâtissier. Comme il ne
restait que deux tartes à la cannelle, il en a pris
quatre à la vanille pour compléter. Quatre et deux
font six. Qui a dit qu'il ne savait pas compter ? A
présent, sa mission accomplie, il s'en retourne à
Jordaan.

Dieu que son gosier est sec ! La journée a été
longue. Il était debout à cinq heures ce matin pour
décharger les barriques. Un travail assoiffant. Et
pourtant il n'a pas bu une seule goutte depuis le petit
déjeuner. Deux heures sonnent au clocher. Il lui
reste quelques sous. C'est pitié de les laisser croupir
au fond de sa poche alors qu'ils pourraient étancher
sa soif. Mais il a juré.

Comme il tourne au coin de la rue, il manque
presque renverser son ami Piet qui est en train de se
soulager à l'extérieur de l'auberge du Lion.

— Eh, vieux coq ! s'écrie Piet en rajustant ses chausses. Eh, sac à vin ! Entre donc boire un pot. C'est Andriesz qui régale. Ce vieux fornicateur a gagné à la loterie.

Gerrit hésite.

— Un muid entier de vin de Rhénanie ! Rien que ça ! s'écrie Piet. Aujourd'hui on boit gratis.

Gerrit se fige sur place. C'est un véritable supplice. Des éclats de rire lui parviennent par la porte entrouverte, ainsi qu'une bonne odeur de volaille rôtie. Soudain il se sent l'estomac dans les talons. Il n'a rien avalé depuis cinq heures ce matin, hormis une écuelle de gruau. Le voilà qui hésite, la tentation est grande.

— Eh bien, tu prends racine ? demande Piet.

Gerrit secoue la tête.

— Non, j'ai à faire.

Il s'éloigne à regret. Il a failli céder, mais il a tenu bon. Le devoir a triomphé.

Il mériterait un coup à boire pour sa peine. Eh, elle est bonne celle-là ! Tout en ricanant, Gerrit prend la direction de Bloemgracht où l'attend son maître.

52

SOPHIA

Retirez-vous, car cette jeune fille n'est pas morte, elle dort.

Matthieu IX, 24

Je ne suis pas morte. Je suis simplement endormie. Qu'est-ce que la vie sinon un long sommeil dont nous serons tirés par les joyeuses trompettes du Royaume des Cieux ?

Ces draps sont mon linceul. Je m'éveillerai bientôt pour renaître. Je déploierai mes ailes comme le papillon qui sort de sa chrysalide. Je jetterai mon passé comme on jette une cape et je traverserai les océans pour atteindre ma Terre promise.

— Tu appelles ça un bras !

Dans mon sommeil, j'entends une voix. Mes membres épars seront recollés et je ressusciterai d'entre les morts, à ma façon.

— Tu appelles ça une jambe ! Ma parole, tu n'as pas les yeux en face des trous !

C'est Mattheus qui tempête au rez-de-chaussée. Ses beuglements réveilleraient un mort.

233

— Regarde cette tête, elle repose sur des épaules, il me semble. Et puis il y a deux bras, un de chaque côté.

Son atelier se trouve juste au-dessous de ma chambre. Il est en train de donner une leçon de dessin à ses élèves.

— Ma parole, vous n'entendez rien à l'anatomie humaine ! Dire que vos parents se saignent aux quatre veines pour que je perde mon temps avec vous !

J'ai dormi longtemps. L'orage est passé, le soleil entre à flots par la fenêtre. Je vais rester cachée chez Mattheus et sa femme jusqu'à ce que Jan vienne me chercher. Hormis le médecin et la sage-femme, ils sont les seuls à savoir que je suis revenue à la vie. Les deux hommes qui m'ont amenée ici pensaient transporter un cadavre. Dieu qu'ils m'ont malmenée ! Est-ce ainsi qu'on traite les morts ? Une fois la vie envolée, vous n'êtes plus qu'un vulgaire sac de navets. Je suis couverte d'ecchymoses.

— Des os et des muscles ! s'écrie Mattheus. Voilà ce que vous avez sous la peau. Si vous ne vous mettez pas ça dans le crâne, vous ne serez jamais peintres !

Les événements de la nuit dernière me semblent irréels. J'ai l'impression d'avoir donné une représentation théâtrale. Nous étions tous des acteurs. Seule dans ma chambre, étendue sous ma couronne de mariée suspendue au plafond, je poussais des cris en feignant la douleur ; pendant ce temps, les autres étaient au grenier avec Maria qui, elle, accouchait réellement.

Plus jamais je ne remettrai les pieds là-bas. J'ai laissé derrière moi tous mes habits, toutes mes besognes inachevées... je suis morte.

234

Je n'ai pas encore réellement mesuré les consé-quences de cet énorme mensonge. Une fois le spec-tacle terminé, j'ai quitté la maison comme on quitte une scène de théâtre et je me suis fondue dans la nuit.

Je n'ai pas envie de réfléchir. Car, si je réfléchis, je vais penser à tout le mal que j'ai fait à mon époux.

53

GERRIT

Quand le nœud se défait, le fil se relâche.

Jacob Cats, *Emblèmes moraux*, 1632

Gerrit avance d'un pas traînant. Il a traversé toute la ville et ses jambes le font souffrir. Heureusement, il touche au but. Encore un petit effort et il sera arrivé. Bientôt il va remettre les paquets à son maître qui lui donnera ses gages, et il sera libre comme l'air.

Un roulement de tambour résonne au loin, suivi d'un air joyeux. Gerrit se met aussitôt en route vers la musique, attiré malgré lui comme par un aimant. Il y a un attroupement sur la place du marché. Empoignant fermement ses paquets, il se fraie un chemin parmi la foule, puis s'arrête, fasciné par la scène qui s'offre à lui.

Une troupe de saltimbanques est en train de donner un spectacle. Un homme habillé en Arlequin jongle avec des balles. Gerrit adore ça. A côté de lui, grimpé sur une caisse, un illusionniste au teint basané exécute des tours de magie. Gerrit raffole des magiciens. Roulements de tambour. Le prestidigitateur secoue un foulard dont s'échappe une tourterelle. Cris de joie dans la foule. Gerrit reste bouche bée.

L'homme sort ensuite un œuf qu'il montre au public, un sourire triomphant sur les lèvres. Puis il ferme la main. Nouveaux roulements de tambour. Lorsqu'il la rouvre, celle-ci est vide. Il la passe derrière son oreille et hop ! *subito presto*, il en ressort un œuf. La foule exulte. Mais comment diable fait-il ? se demande Gerrit. C'est de la magie ! Comme les pigments contenus dans ce paquet ; ce ne sont que de vulgaires cailloux et pourtant Jan peut les faire disparaître et les transformer en forêts, en paysages.

Un autre forain paraît, vêtu à la mode orientale. Celui-là se met à manger des clous. Des clous ! Gerrit ferme les yeux, il ne veut pas voir ça. Quand il les rouvre, l'homme est en train de cracher du feu.

Puis on amène un baudet coiffé d'un bonnet d'âne. Le pauvre grison n'a que la peau sur les os. L'homme qui l'accompagne a le teint cuivré et une luxuriante moustache de bohémien. Il est déguisé en maître d'école et porte une ardoise. Il la présente à l'âne en faisant claquer son fouet, mais l'animal reste de marbre.

Gerrit est fasciné ; il ne voit même pas le mendiant qui agite sa sébile sous son nez. Le bohémien fait à nouveau claquer son fouet.

— C'est l'heure de la leçon, bourriquet !

Le public s'esclaffe. Gerrit est un être simple, au cœur tendre. Il aime les créatures sans défense, les chiens, les chats, et surtout les ânes avec leurs grosses têtes poilues et leurs grandes oreilles. Combien de fois ne l'a-t-on pas traité d'âne, lui aussi ! Même Jan, quand il se met en colère, le traite de bourrique.

La bête refuse obstinément de se mettre à genoux. Elle reste campée dignement sur ses petits sabots, la tête baissée. Elle fait pitié à voir, avec cet affreux bonnet d'où émergent ses deux longues oreilles qui remuent l'une après l'autre.

— Et maintenant, la leçon de calcul ! s'écrie le forain en faisant claquer son fouet.

L'âne relève la tête et pousse un braiment à fendre l'âme.

Perdant soudain patience, le bohémien frappe l'animal. La foule glousse. Excédé, l'homme se met à le frapper à coups redoublés.

Pauvre bête. Gerrit en a les larmes aux yeux. Mais les rires continuent de fuser tandis que l'âne endure sans broncher la morsure du fouet.

Cette fois la coupe est pleine. Lâchant brusquement ses paquets, Gerrit fend la foule.

— C'est m-ma-mal ! beugle-t-il.

Le bohémien se fige sur place, consterné. Gerrit lui arrache son fouet des mains et, tel un saltimbanque, le fait tournoyer vivement au-dessus de sa tête. La foule retient son souffle. Soudain, crac !, il frappe le montreur d'âne. Puis il recommence, de plus en plus fort. La lanière fend les airs avec un sifflement. Epouvanté, l'homme recule en se protégeant la figure avec les mains. La foule explose de joie.

A présent, Gerrit se met à pourchasser le bohémien à travers la place sous les applaudissements du public. On se recule pour le laisser passer. L'homme se faufile entre les étals, saute par-dessus une caisse de pommes. Gerrit continue de le poursuivre en rugissant. Le bohémien prend ses jambes à son cou et disparaît dans une ruelle.

238

Et voilà notre Gerrit devenu un héros. On l'acclame et on le porte en triomphe jusqu'à une taverne voisine. On chante ses louanges.

— Ah ! on peut dire que tu lui as mis une belle correction !

Gerrit a les jambes en coton. Il tremble de la tête aux pieds, car de sa vie il n'a jamais frappé personne. Ce n'est pas un violent.

On le fait asseoir.

— Il ne l'a pas volé, rugit un homme. Maudite canaille !

— Il n'aurait pas dû le frapper, bredouille Gerrit humblement. Pauvre bête. Moi aussi, je ne suis qu'un âne mais mon maître ne me bat pas pour autant !

Les rires fusent. Gerrit rougit, ravi de son trait d'esprit. On lui apporte une chope de bière.

— C'est la maison qui régale, lui dit en souriant une grosse femme dépoitraillée.

— Juste une, alors, dit-il. Car je suis attendu.

Il tremble tellement qu'il arrive à peine à porter la chope jusqu'à ses lèvres.

— Fichtre ! s'exclame la femme. Quel spectacle ! J'ai enterré deux maris, mais ni l'un ni l'autre ne t'arrivait à la cheville.

Gerrit, fasciné, laisse errer son regard sur les seins de la commère. De sa vie il n'en a jamais vu d'aussi gros. Comme ils ont l'air affriolants, ainsi, confortablement blottis sous son corsage ! Il boit sa bière d'un trait.

Les autres l'imitent. La femme leur raconte les exploits de Gerrit qui s'applique ensuite à répéter :

— Moi aussi je ne suis qu'un âne, mais mon maître ne me bat pas pour autant !

Nouveaux rires dans l'assistance. Il commence à bien s'amuser.

Tout à coup un garçon entre et dépose trois paquets sur la table.

— Vous aviez laissé ça, dit-il.

Gerrit considère un instant les paquets en silence. Ouf ! Un peu plus et il les oubliait. Il faut dire que toute cette excitation lui a mis la tête à l'envers. Son maître a raison, il n'est qu'un âne.

— Il faut que je parte, dit-il alors en se levant.

Mais on le force à se rasseoir tandis que la grosse femme pose une deuxième chope écumante devant lui.

54

JAN

Plus on est sot et plus on s'efforce de paraître sage.

Jacob Cats, *Emblèmes moraux*, 1632

On frappe à la porte. Dieu soit loué ! Gerrit est de retour.

Jan se précipite pour aller ouvrir. Mais c'est son propriétaire.

— Oh ! dit Jan, déçu.

— Simple mesure de précaution, dit le petit homme d'un air matois.

— Encore un qui croit que je vais lui filer sous le nez, maugrée Jan.

— Simple mesure de précaution, répète le propriétaire. On n'est jamais trop prudent, considérant que vous me devez deux mois de loyer et que, par le passé, nous avons déjà eu... disons... quelques arriérés de paiement.

Le docteur Sorgh s'agite nerveusement sur son siège. Il coule un regard oblique vers le peintre. Il soupire, comme pour montrer qu'il avait raison d'émettre quelques soupçons.

— Vous aurez l'argent cet après-midi, promet Jan
à son propriétaire. Tout comme ces messieurs ici
présents. Je vous l'apporterai moi-même.

— Je préfère attendre, dit le petit homme en lais-
sant errer son regard sur le docteur et le commis.
J'imagine que ces messieurs attendent, eux aussi ?
Puis-je me joindre à vous ?

Il s'assied.

— Gerrit ne devrait pas tarder, dit Jan. Il va rapporter des gâteaux, ajoute-t-il d'une voix pitoyable.

Mais que fait donc cet âne de malheur ?

— Quelle heure est-il ? demande-t-il en se tournant vers le médecin.

Celui-ci sort sa montre.

— Il est trois heures et dix minutes.

55

GERRIT

A force d'aller à la fontaine la cruche finit par se casser.

Jacob Cats, *Emblèmes moraux*, 1632

Gerrit est ivre. La tête lui tourne. Dehors, les saltimbanques et leur âne ont plié bagage. Ils ont disparu. Pfff ! Comme par enchantement. Mais ici, dans la taverne, ils sont entrés dans la légende.

Les langues vont bon train. Dans le récit, la bourrique a rapetissé, ce n'est plus qu'un ânon minuscule, et le montreur de bêtes est devenu un monstre de cruauté, un Espagnol, selon toute vraisemblance.

Le cœur de Gerrit se gonfle d'orgueil. C'est un peu comme si l'âne était son petit pays, vulnérable et brave, que les Espagnols tentent d'asservir par la force. « A genoux ! ordonne la brute. A genoux, maudite bête ! » Mais arrive Gerrit le Valeureux, le héros de la taverne, le héros de la ville, le héros de ce peuple qui résiste bravement à l'envahisseur papiste.

Ce n'est pas rien d'être un héros. Gerrit déclare qu'il a faim. Aussitôt, une énorme paire de seins apparaît sous son nez. La maîtresse des lieux,

Mme Je-ne-sais-plus-quoi, il a oublié son nom, pose devant lui un plat de harengs fumés, de pain et de fromage.

Gerrit est comblé d'aise. Autour de lui se presse la foule des buveurs ivres. Il leur a raconté sa vie et ils ont bu à sa santé. Quand il était enfant il travaillait dans une corderie. Son récit les a émus aux larmes. Il leur a raconté comment une fois il est tombé dans un lac gelé, provoquant l'hilarité générale. Et puis il leur a également parlé de son maître Jan Van Loos.

— Voilà cinq ans que je suis à son service, et demain je suis un homme libre.

Ils lèvent leurs verres et lui portent un toast. Il ne bégaie plus à présent, un flot continu de paroles s'échappe de sa bouche.

Tout en dévorant son poisson, il essaie de se remémorer une réflexion qui lui était venue tout à l'heure, concernant la magie. Comment était-ce déjà ? Il a l'esprit embrouillé... mais il ne veut pas perdre l'attention de son public.

— La magie, c'est comme ça, dit-il en saisissant le colis contenant les pigments, dont il défait la ficelle. Voyez, rien que des morceaux de couleur... mais mon maître, hop ! *subito presto* ! il en fait des arbres, de jolies demoiselles...

A l'intérieur il trouve un oignon. Il s'est trompé de paquet. Il glousse.

— Eh *presto* ! C'est un oignon !

Les autres éclatent de rire. Franchement, si ce n'est pas de la magie... Il avait justement envie d'un oignon. Il n'y a rien de tel avec un hareng.

— C'est pas un oignon, dit l'un des buveurs.

Mais Gerrit ne l'entend pas.

244

Quelque part derrière lui, un violoneux entame un air. La populace s'éloigne et commence à chanter en chœur.

Gerrit saisit son couteau et, précautionneusement car la lame est coupante, commence à peler l'oignon. Ses mains engourdies refusent de lui obéir. Il les admoneste dans un éclat de rire.

— Allons, ne faites pas les sottes, dit-il.

Ses mains obtempèrent maladroitement. Aujourd'hui, tout le fait rire : les ânes, les oignons, la vie.

Le voilà qui enfourne un hareng, puis découpe un morceau d'oignon et l'enfourne à son tour. Mmm... il a une faim de loup ou, plutôt, une faim d'âne... Les autres l'ont abandonné, mais peu importe. Il ne pense qu'à manger.

Penché au-dessus de son assiette, il enfourne tour à tour l'oignon puis le hareng. Puis il rompt une bouchée de pain et l'enfourne avec le reste. Ça a un drôle de goût, mais qu'importe. Il a trop faim. Il continue d'engloutir la nourriture à pleine bouche. Bientôt, il ne reste plus rien.

Voyez ! C'est de la magie ! L'assiette est vide.

Repu, Gerrit se renverse sur son siège en lâchant un rot de satisfaction.

56

Sophia

Tout péché porte en lui son propre châtiment.

Jacob Cats, *Emblèmes moraux*, 1632

Lysbeth, la femme de Mattheus, entre dans la chambre. Elle apporte avec elle une pile de vêtements qu'elle dépose sur le lit. Je vais me déguiser pour me rendre au port ; nos bagages seront expédiés séparément depuis la maison de Jan.

— Choisissez celui qui vous plaira, propose Lysbeth. Ce sont des déguisements que mon mari garde pour certains de ses clients qui aiment se travestir. Un épicier de Rokin et son épouse se sont fait peindre en ange Gabriel et en madone.

Je pourrais me déguiser en Vierge Marie. Après tout, ne suis-je pas, moi aussi, habituée aux miracles ? Je rougis à cette pensée blasphématoire ; je ne suis décidément plus la même.

Lysbeth se laisse tomber sur le lit.

— Comme vous êtes courageuse, soupire-t-elle. Vous feignez d'être morte pour pouvoir vous enfuir au bout du monde. Et tout cela par amour !

— J'ai commis un affreux péché.

— Comme j'aimerais être à votre place !

Elle semble sincère. Mattheus n'est pas un époux facile. Dans l'escalier, on entend la marmaille qui va et vient à grand bruit. Ils sont sept. Lysbeth les supporte sans se plaindre, de même qu'elle supporte l'inconstance de son ivrogne de son mari. Car Mattheus mène une vie hasardeuse. En plus de la peinture, il spécule sur les tableaux et la propriété foncière, ce qui ne va pas sans quelques revers de fortune. Un jour, les huissiers sont venus le saisir. Ils lui ont tout pris sauf son lit, car ce jour-là sa femme était en train d'accoucher. C'est une épouse docile et résignée, qui soutient son mari en toutes circonstances et lui pardonne toutes ses fautes. Lysbeth est une vraie chrétienne qui, contrairement à moi, ne dit pas ses rosaires en pensant à autre chose.

Je jette un coup d'œil à la pile de vêtements. En quoi vais-je me déguiser pour mon départ ? En Pallas Athéna ? En fiancée juive ? Et si je devenais une création de ma propre imagination ? Je pourrais être un ange et m'envoler jusqu'à Batavia. Voilà une idée grisante. Je pourrais devenir une de ces créatures mythologiques qui n'ont jamais existé. Non ; je préfère ressembler à ces millions de mortels qui vivent et s'éteignent dans l'anonymat.

Je me sens dans un état étrange aujourd'hui. Mais comment pourrait-il en être autrement ? J'ai disparu du monde et n'ai pas la moindre idée de ce que l'avenir me réserve. Qu'est-ce que Batavia ? Une poignée de syllabes et une vision de printemps éternel. Le brouillard de la Hollande se lève comme un voile pour révéler... quoi donc ? J'ai tout laissé derrière moi, mon mariage, ma famille, ma vie de riche bourgeoise... pour l'invisibilité. Par amour.

La voix de Mattheus explose au rez-de-chaussée.

— Asseyez-vous sur son genou, ma chère. Passez vos bras autour de lui... comme ceci.

Les élèves sont partis et Mattheus est allé chercher quelques ivrognes à l'auberge voisine. Lysbeth m'explique qu'il est en train de peindre sa quinzième scène de *Paysans festoyant*. A moins que ce ne soit *Joyeuse Compagnie dans un bordel* ? Ces toiles, mettant en scène les méfaits de l'ivrognerie et de la débauche, sont destinées à susciter le plaisir du spectateur tout en prodiguant un enseignement moral Mattheus a ses modèles de prédilection mais ceux-ci sont souvent trop ivres pour pouvoir poser. A en juger par sa voix, il est lui-même passablement éméché. Mais cela ne l'empêche pas de peindre, car c'est un vrai artiste, une force de la nature.

Le temps passe. Dehors, le faible soleil d'hiver a sombré derrière l'église. Que fait Jan ? Il devrait avoir revendu le bulbe à l'heure qu'il est. Il me tarde de le voir, de l'embrasser pour m'assurer qu'il est bien vivant. Tant que je ne l'aurai pas fait, je n'aurai pas la certitude d'être vivante moi-même. Cette nuit est la dernière que nous passons dans ce pays. Je n'arrive pas à y croire.

Un ricanement nous parvient du rez-de-chaussée.

— J'ai dit s'amuser, beugle Mattheus, pas forniquer !

Autre éclat de rire.

— Je donnerais mon bras droit pour qu'il s'arrête de boire, dit tout à coup Lysbeth avant de sortir brusquement.

57

JAN

Qui couche avec les chiens se lève avec des puces.

Jacob Cats, *Emblèmes moraux*, 1632

Il est six heures. Les derniers feux du crépuscule se sont éteints depuis longtemps. Il fait nuit noire. Dans l'atelier de Jan, une petite foule s'est réunie. Assis sur le lit, des hommes fument leur pipe en silence. La journée n'a été qu'un long défilé de créanciers. Le docteur Sorgh, le propriétaire, le commis de la Compagnie des Indes orientales ont été rejoints par le boucher, le tavernier et l'usurier. A chacun de ces hommes Jan est redevable d'une somme rondelette. Chaque fois qu'on frappe à la porte, il bondit en s'écriant :

— Ah ! le voilà enfin !

Mais Gerrit n'est toujours pas de retour.

On a fait apporter à manger et à boire. A première vue, on pourrait croire que Jan est en train de donner une fête. Une fête silencieuse où les convives maussades attendent sans desserrer les dents. Le docteur Sorgh consulte sa montre pour la énième fois. Le boucher s'étire en faisant craquer ses jointures. Ils ont l'air de voyageurs attendant un coche qui n'arrive jamais.

Dehors, un petit attroupement s'est formé devant chez le peintre. Les langues vont bon train : Jan Van Loos attend livraison du bulbe le plus précieux du monde. A en croire la rumeur, son prix aurait aujourd'hui atteint des sommets. La rumeur s'enfle. Il vaut autant qu'un plein coffre de pièces d'or ; autant qu'un vaisseau plein d'or ; autant qu'une flotte entière chargée d'or ; autant que le trésor du stathouder Frederik Hendrik. Un seul bulbe comme celui-là suffirait pour nourrir tous les habitants de la République jusqu'à la fin de leurs jours. Il vaut autant et même plus que tout l'or de l'âge d'or.

— Ce n'est qu'un oignon, dit quelqu'un. Ils se ressemblent tous. Comment savoir si c'est le bon ?

De son côté, Jan a trouvé refuge dans la cuisine. Il ne supporte plus la mine renfrognée de ses convives. Ceux-ci commencent à douter de l'existence du bulbe. Ils le soupçonnent de les avoir dupés, et il a eu beau tout faire pour les rassurer — leur dire que Gerrit serait bientôt de retour, que trois coteries prêtes à parier sur l'oignon l'attendent à l'auberge du Coq —, ils n'ont plus confiance en lui.

Le regard de Jan tombe sur un bras de plâtre brisé dont il a balayé les morceaux dans un coin de la pièce. Quelle mouche l'a donc piqué de confier cette mission à Gerrit ? Son domestique est un âne. Non, c'est lui l'âne. Il aurait dû insister pour y aller lui-même. Il aurait dû obliger le médecin à l'accompagner. Quel sot il a été !

Et Sophia ? Avec tous ces événements, il n'a guère eu le temps de penser à elle. Bien que feinte, sa mort semble l'avoir à jamais libérée du drame de l'existence. Elle attend le messager qui viendra lui annoncer que le bulbe a été vendu et que Jan s'est acquitté de ses dettes. Elle doit se faire un sang d'encre. Il était convenu qu'il viendrait la rejoindre chez Mattheus, où ils passeraient la nuit ensemble avant de s'embarquer à l'aube. Lysbeth doit préparer une oie rôtie pour fêter leur départ.

Soudain il entend un vague refrain de chanson. Il se rue dans l'atelier et se penche à la fenêtre. Le bruit est encore lointain, pourtant, cette voix, il la reconnaîtrait entre mille.

> *Approchez gentes demoiselles*
> *Vous qui z-êtes jolies tout plein...*

La voix se rapproche de plus en plus. Dans la rue, la foule s'écarte. Gerrit surgit soudain de l'ombre.

> *Je soignerai vot' jardin*
> *Et n'laisserai point les hommes*
> *cueillir vot' joli thym...*
> *Vot' joli thym, lanlère, vot' joli*
> *thym lanlère lanlain...*

Gerrit trébuche, puis se redresse.

Jan ouvre la porte à la volée. Le domestique entre en titubant.

— Où diable étais-tu passé ? fulmine le peintre. Je t'avais pourtant dit de rentrer aussitôt !

— C'est que j'ai... que j'ai... combattu les Espagnols, explique Gerrit d'une voix traînante d'ivrogne.

Un bras replié contre sa poitrine comme un bouclier, il agite furieusement l'autre dans les airs.

— *Swishhh, swishhhh !...* Je les ai combattus et j'ai gagné !

Avisant les hommes réunis dans la pièce, il cligne des paupières et s'écrie :

— Salut la compagnie ! Eh, eh, dirait-on pas qu'on trinque ici ? Puis-je me joindre à vous ?

— Non, rétorque Jan. On ne trinque pas. On t'attendait.

Il le fait asseoir.

— Où est le paquet ? demande-t-il lentement, comme s'il s'adressait à un imbécile. Où sont les paquets que je t'ai envoyé chercher ?

— Ils sont là, dit Gerrit en ouvrant fièrement son pourpoint.

Il en tire deux paquets tout ratatinés et à moitié défaits.

— Mission accomplie.

Il les tend à Jan qui les emporte aussitôt vers la table. Tous les yeux convergent vers lui, fascinés. On n'entend pas un bruit, hormis la respiration de Gerrit qui souffle comme un bœuf.

Jan ouvre le premier paquet. Il contient des pigments enveloppés dans du papier de soie.

Les hommes retiennent leur souffle. Jan ouvre le second paquet. Il contient des gâteaux écrasés et des miettes.

— Dé... désolé, bégaie Gerrit. Ils ont été un peu mal... malmenés... dans la baba... dans la bagarre contre les Echpagnols.

— Où est le bulbe ? murmure Jan, soudain très inquiet.

Gerrit le regarde, bouche bée.

— Le quoi ?

— Le troisième paquet, Gerrit. L'oignon de tulipe.

— L'oignon ? Ben, je l'ai mangé !

58

SOPHIA

Qui pèle l'oignon pleurera.

Jacob Cats, *Emblèmes moraux*, 1632

Je saigne du nez.

— Cela m'arrive aussi quand je suis énervée, me rassure Lysbeth.

Elle est en train de repasser la robe que je vais porter. Elle s'approche avec son fer brûlant.

— Tenez, dit-elle, penchez-vous au-dessus du fer. Les saignements vont s'arrêter.

J'obéis. Des gouttes de sang tombent sur le fer chaud avec un grésillement. Brusquement, je pense à Maria et à ses superstitions. Comme elle me manque ! Nous avons traversé tant d'épreuves ensemble. Et dire que je ne la reverrai jamais. Dire que je ne saurai jamais ce qu'il est advenu d'elle et de son bébé. Sa ruse concernant la nourrice a-t-elle marché ? Sa ressemblance avec l'enfant ne risque-t-elle pas de la trahir ? Toutes ces questions resteront à jamais pour moi sans réponse. La mort m'a éloignée du monde des vivants, bientôt je vais quitter ce pays pour toujours.

Je me sens seule. Je n'ai personne à qui parler hormis Lysbeth, que je ne connais pour ainsi dire pas. Que fait Jan ? Je penche la tête en arrière et presse un mouchoir contre mon nez. Le fer à repasser n'a rien arrêté du tout. Je suis beaucoup trop vivante.

Pourquoi tarde-t-il tant à venir ? Dehors, huit heures sonnent au clocher. Lysbeth descend à la cuisine surveiller l'oie qu'elle a mise à cuire. Je sors mon chapelet. Je le tenais à la main quand je suis morte. C'est tout ce qui me reste de ma vie passée. Je vous salue Marie, mère de Dieu... Je compte les grains, je prie pour qu'il arrive. C'est très mal de prier ainsi en péchant, mais je n'ai plus droit au rachat désormais.

Mon nez s'est enfin arrêté de saigner. J'ôte ma chemise de nuit et enfile les vêtements que Lysbeth m'a préparés : une chemise, un jupon ainsi qu'une robe et un corsage noirs. J'ai renoncé à porter un costume exotique. Je ne suis pas d'humeur à jouer la comédie. Je porterai une robe noire, toute simple, et la cape bleue que la femme de l'épicier portait pour poser en madone.

Je m'assieds sur le lit et j'attends. Un grand éclat de rire me parvient depuis le couloir, suivi de cris d'enfants. Mattheus pourchasse sa marmaille dans l'escalier en rugissant :

— Je suis le croque-mitaine et je vais vous croquer !

— Ne les excite pas, crie Lysbeth. Sans quoi ils ne vont rien manger ce soir.

Il y a une joyeuse débandade, puis le silence revient. Dehors, un chien aboie. Je me sens très loin de cette bruyante famille. J'ai l'impression d'être coupée du monde. A Utrecht, ma mère et mes sœurs pleurent ma disparition. Cette idée m'est insupportable. J'ai laissé à Cornelis une note dans laquelle je lui demande, au cas où je viendrais à mourir, de continuer à pourvoir à leurs besoins. Mais cela ne suffira pas à les consoler. Non loin d'ici, dans la maison de Herengracht, Cornelis est en train de pleurer son épouse tant aimée. Comment ai-je pu me comporter de façon aussi cruelle ? Comment ai-je pu sacrifier leur bonheur au mien ? J'aurai beau m'enfuir à l'autre bout du monde, jamais je ne pourrai effacer ce péché.

Dehors, la cloche sonne le quart. D'une main tremblante je caresse la cape bleue qui repose sur mes genoux. Jan devrait être là depuis longtemps. Que s'est-il passé ? Pourquoi ne donne-t-il pas signe de vie ?

La maison me semble soudain anormalement silencieuse. Même la grosse voix tonitruante de Mattheus s'est tue. Je n'ose sortir de ma chambre de crainte que les enfants ne me voient.

C'est alors que j'entends des pas dans l'escalier. Des pas pesants de vieillard.

C'est Cornelis. Il a ouvert le cercueil et vu qu'il était rempli de sable. Il a découvert le pot aux roses.

Une lame de parquet craque. Il approche. Curieusement, je garde mon calme. Un étrange sentiment de soulagement s'empare de moi. Tout est fini.

La porte s'ouvre. C'est Jan.

Il a la mine défaite, le teint terreux, on dirait qu'il a rétréci. Il se laisse tomber sans bruit sur le lit.

— Nous sommes ruinés, dit-il.

Ses propos sont confus ; je ne saisis pas d'emblée ce qu'il cherche à me dire. Il est question de Gerrit qui aurait mangé l'oignon. Mais de quoi parle-t-il ? Il dit qu'ils lui ont tout pris.

— Mais qui ?

— Les créanciers. Ils m'ont tout pris, mes toiles, mes coffres, tout. Ils veulent me traîner en justice. Le docteur ne le peut pas, car il est trop compromis, mais les autres ne vont pas se gêner. Je suis ruiné. Je ne peux même pas leur payer le quart de ce que je leur dois.

Il me prend la main et m'attire contre lui.

— Je suis désolé, ma bien-aimée. Je me suis comporté comme un imbécile. Quel dénouement grotesque !

— Grotesque ?

Nous restons assis côte à côte sans rien dire. Je songe à notre méchanceté, à notre profonde et inqualifiable cruauté. Mais Dieu veillait, il nous observait, je savais qu'il était dans mon cœur.

— Nous avons mal agi, dis-je.

— Ecoute...

— Nous avons péché et nous avons été punis.

— Mais nous nous aimons, dit Jan en me prenant par le menton pour m'obliger à le regarder dans les yeux. C'est parce que nous nous aimons que nous avons imaginé ce stratagème.

Incapable de proférer une seule parole, je dévisage mon amoureux en silence. Je regarde ses yeux bleus, pétillants, ses cheveux en bataille.

— Tu es morte, dit-il, nous ne pouvons pas rester à Amsterdam, il faut partir. C'est encore possible. A condition de recommencer à zéro. Crois-tu que tu pourras vivre dans la pauvreté ?

Je ne l'écoute pas. « Laissez-moi l'embrasser », supplie Cornelis lorsque le docteur l'éloigne de ma dépouille. Loin, très loin dans la nuit, ma mère pleure sa fille.

— Tous les espoirs ne sont pas perdus, dit soudain Jan avec passion. Nous pouvons encore nous

256

embarquer demain. Je vais demander à Mattheus de me prêter de quoi acheter nos passages et je le rembourserai quand j'aurai trouvé un emploi... Ce n'est pas l'ouvrage qui manque là-bas... Aie confiance, ma bien-aimée.

Dieu nous a vus. Dieu voit tout. Je le savais, mais j'étais aveuglée par ma cupidité. Et Dieu nous a punis.

Jan me regarde au fond des yeux, il essaie de lire dans mes pensées.

— Dieu nous pardonnera. N'aie crainte, Sophia.

Dehors, le chien aboie toujours. Une odeur d'oie rôtie monte du rez-de-chaussée. Je ne dis rien. Tout est clair à présent, même s'il m'a fallu du temps pour le comprendre. Nous avons commis un crime et nous allons devoir payer. Dieu a choisi Gerrit, cet idiot, ce soiffard, pour accomplir ses desseins.

Il y a un long silence. Ma décision est prise. Je me tourne vers Jan puis, l'entourant de mes bras, je l'embrasse longuement. Il semble soulagé et répond avec passion à mon baiser. Je passe doucement mes doigts dans ses cheveux. Comme je l'ai aimé !

Nous nous pressons avec fougue l'un contre l'autre, mais il arrive que les corps mentent. Et le mien a souvent menti. Je serre Jan dans mes bras, je m'abreuve de ses baisers. Je lui mens, tout comme nous avons menti aux autres pendant des mois.

Je m'arrache alors à son étreinte.

— Va lui demander, dis-je en lui caressant la tête, va demander à Mattheus de nous prêter l'argent. Je t'attends ici.

59

JAN

L'amour se moque des verrous.

Jacob Cats, *Emblèmes moraux*, 1632

Mattheus et Lysbeth attendent à la cuisine. L'oie tourne sur la broche. La graisse chaude tombe en grésillant dans les flammes sous les yeux fascinés de l'épagneul qui bave d'envie.

En voyant Jan entrer, Mattheus se lève. Il lui sert un cordial et lui passe un bras autour des épaules.

— Mon pauvre vieux, dit-il. Tu ne sais vraiment pas t'y prendre avec les femmes. Que comptes-tu faire à présent ?

Jan vide son verre.

— Nous pouvons encore embarquer demain. Mais pour cela j'ai besoin de ton aide.

Il lui demande de lui prêter l'argent du voyage. Mattheus accepte.

— Nous sommes contents de pouvoir t'aider, dit Lysbeth en lui prenant la main. Bientôt tu seras parti, tu laisseras tous tes soucis derrière toi.

Au même moment, Albert, leur fils aîné, entre.

— Nous allons passer à table, lui dit sa mère. Va chercher les autres.

— Qui est-ce, la dame ? demande le garçon.

— Quelle dame ? s'inquiète Jan.

— La dame avec une cape bleue. Elle descendait l'escalier en courant, dit Albert. C'est un modèle ?

— Où est-elle ?

— Elle est partie.

60

SOPHIA

Tu auras beau frotter, la robe une fois
souillée gardera toujours une tache.

Jacob Cats, *Emblèmes moraux*, 1632

C'est la pleine lune ce soir. Aucun peintre ne saurait recréer à la perfection l'œuvre de Dieu. Comme il serait vain d'essayer ! La lune forme un cercle parfait, plus parfait que les disques peints par Jan dans ses paysages nocturnes, plus parfait que les zéros qu'il a tracés quand il pariait sur les oignons... ces zéros vides et cupides qui ne nous ont menés nulle part.

Je cours par les rues désertes. Mes pantoufles provoquent un claquement étouffé sur le pavé. Peu m'importe qu'on me voie à présent, car j'ai atteint ma destination finale. La nuit dernière j'ai fait semblant de mourir, mais ce soir je vais disparaître pour de bon. Soulagée, j'avance d'un pas léger et rapide.

Le reflet de la lune m'accompagne. Ce soir les cieux sont tombés à l'eau ; d'un seul coup mon univers a basculé et s'est retrouvé tête en bas. Je repense à la gravure qui me faisait si peur quand j'étais

260

enfant, ce monde immergé où les cloches sonnaient au fond de l'océan tandis que les morts agitaient leurs bras. A l'époque, je croyais qu'ils les agitaient pour demander grâce, mais je sais à présent qu'il s'agissait d'un signe de bienvenue. J'avais pressenti que tout finirait ainsi.

Les eaux de cette ville nous renvoient le reflet de nous-mêmes, le reflet de notre vanité. Et quelle vanité ! Maria revêtait mon mantelet et se contemplait dans la glace, et moi, je croyais que je pouvais changer l'ordre des choses ! J'ai voulu m'immiscer dans les desseins de Dieu. Mon orgueil est pareil à celui de cette nation qui a arraché la terre à l'océan. « La création de la terre est le seul fait de Dieu, a écrit l'un de nos savants, Andries Vierlingh, car c'est lui qui donne à certains l'intelligence et l'énergie pour le faire. » Quelle sorte de morale est-ce là ? Nous nous servons de Dieu pour justifier nos actes, alors que c'est notre propre instinct de survie qui nous pousse à agir.

Mais pourquoi survivre ? Ce monde n'est qu'une chimère, un reflet trompeur. Le savions-nous lorsque nous avons bâti cette ville sur des miroirs ? Naguère, je rêvais d'une vie avec Jan. J'ai regardé dans l'eau et j'ai cru y voir un monde de rêve, un monde qui ressemblait au mien et où j'aurais pu être heureuse. Comme j'étais naïve ! Je n'ai rien vu d'autre que le reflet de la lune scintillant à la surface de l'eau, le chatoiement d'une robe de satin. La concupiscence et l'orgueil m'ont aveuglée.

Ce soir, je vais dire adieu à cette illusion. Je vais disparaître de ce monde et renaître pour de bon, car Jésus m'attend, les bras tendus, comme un amant. Et personne, pas même mon bien-aimé Jan, ne pourra jamais me retrouver.

Me voilà sur un pont. Je me penche au-dessus de l'eau grise du canal. Je pense à toutes les choses que j'ai aimées en ce monde : mes sœurs, les fleurs au calice nimbé de rosée, l'odeur du linge propre, la crinière d'un cheval, le goût du vin chaud que Jan versait entre mes lèvres, la douceur de sa peau... Je me souviens de la première nuit que nous avons passée ensemble, nos doigts enlacés, les yeux dans les yeux... Notre fin était contenue dans notre commencement, car au fond de nous-mêmes nous savions que nous étions damnés...

Il n'y a pas de temps à perdre ; Jan va se lancer à mes trousses et je ne suis pas très éloignée de la maison de Mattheus. Je me penche au-dessus du parapet, j'aperçois le reflet de la lune qui me nargue. « Vanité des vanités, tout est vanité... »

J'ôte ma cape et la jette à l'eau. Ma dernière dépouille part à la dérive.

61

WILLEM

Quelles mers n'ont pas reflétées les voiles de ses navires ?
Sur quels ports n'a-t-elle pas vendu ses marchandises ?
Quels peuples n'a-t-elle point vus, brillant au clair de lune,
Elle qui règne en maîtresse sur les océans ?

Joost Van den Vondel

En bas, dans le port, six navires ont jeté l'ancre. Les marins se hâtent le long des passerelles. Ils n'ont pas foulé le sol natal depuis des mois. Certains tombent à genoux et baisent la terre en remerciant le ciel, les autres filent tout droit au bordel. Le quai est noir de monde. Parents, vide-goussets, prostituées se pressent autour des nouveaux venus. Les colporteurs vantent leurs marchandises, les tavernes allument leurs quinquets, les lupanars déversent leur musique entraînante.

Un sac jeté sur l'épaule, un jeune homme fend la foule. La flamme d'un brasier illumine son regard.

Huit mois passés en mer ont transformé Willem. Il a perdu ses airs de chien fou. C'est un grand et beau gaillard à présent, svelte et hâlé. La mer a fait de lui un homme. Il se tient droit et marche la tête haute en dépit du pavé qui tangue sous ses pieds. Il n'est plus le Willem abattu et humilié qu'il était en mars, lorsqu'il s'est embarqué. Il a perdu son innocence, pour de bon cette fois. Celle-ci a été remplacée par quelque chose de plus profond : l'émerveillement. Vous n'imaginez pas tout ce qu'il a vu. Les montagnes, par exemple ! Quelle vision pour un Hollandais ! Jamais il n'aurait imaginé qu'il en existait d'aussi grandes. Il a vu des vagues hautes comme des montagnes et des montagnes qui semblaient atteindre le ciel. Il a vu des baleines énormes surgir des profondeurs de l'océan et arroser leurs flancs gigantesques d'un jet puissant avant de se fondre à nouveau dans l'écume pour ressortir en fouettant l'air de leur queue gigantesque. Il a vu des étoiles filantes dans les ciels du sud constellés de diamants ; et des poissons volants brillants comme des lames d'argent. Il a également visité des cités de rêve : les dômes étincelants de Constantinople ; les canaux miroitants de la sublime Venise, aussi corrompue et débauchée qu'Amsterdam, sa cousine du nord.

Mais si Willem a vu des merveilles, il a également provoqué l'émerveillement. Depuis sa première rencontre, désastreuse, avec une putain, il a rattrapé le temps perdu. Dans pas moins de trois langues différentes, les femmes de petite vertu se sont extasiées sur la taille extraordinaire de son membre viril. « Wat heb je een grote lul !... Che grozzo kazzo !... Kun kuzegar o khar o kuze faroush ! » Ah, c'est qu'à eux deux ils en ont livré des batailles ! Et Willem a bravé la tempête dans la baie de Biscaye, grimpé au mât et hissé les cordages. Il s'est battu contre la fièvre et a triomphé. Mieux encore, il s'est couvert de gloire en combattant les Espagnols, sa bourse pleine d'or est là pour l'attester.

En effet, Willem est riche. Pas de cette monnaie imbécile dont sa bourse était garnie la dernière fois que ses pieds ont foulé les rues de cette ville. Non, il s'agit cette fois de vrais doublons, sonnants et trébuchants, dûment pillés dans un esprit patriotique. Son navire a été attaqué par un galion espagnol alors qu'il escortait une flotte marchande ralliant le Levant. Au terme d'une lutte sans merci, les Hollandais ont capturé le navire ennemi et vidé ses cales. Après quoi le capitaine et ses hommes se sont partagé le butin.

Willem éprouve pour la mer une immense gratitude. Par deux fois elle lui a livré ses trésors : d'abord ses poissons, puis son or. Avec sa part de butin et sa solde, il va pouvoir se lancer dans une nouvelle vie. Oh, ses ambitions sont modestes ! Il se contentera d'une petite échoppe. Pas une poissonnerie, ça non ; les poissons, il en a assez vu. Mais un commerce de fromage. Avec Maria.

Maria ! Il a tout fait pour l'oublier, mais en vain. Elle est logée au fond de son cœur comme une balle de plomb. Comme elle lui a manqué ! Elle est son âme sœur, voilà pourquoi. Chaque fois qu'il faisait l'amour avec une fille, c'était Maria qu'il tenait dans ses bras. C'est à travers ses yeux qu'il a contemplé les minarets d'Alexandrie.

Ses petits rires étouffés, ses mains gercées, sa perpétuelle bonne humeur et ses rêveries subites, il n'a pas pu les oublier. Et son corps ! Il a beau avoir parcouru le monde, sa raison d'être est ici, entre les bras de Maria. « Qu'on vive à l'est ou à l'ouest, l'impor-

265

tant c'est d'être chez soi. » Willem n'est pas hollandais pour rien.

Et si Maria était mariée ? Si elle avait quitté le service de M. Sandvoort pour vivre avec l'homme entre les bras duquel Willem l'a surprise ? Peu importe, il doit la retrouver. Il est devenu un homme à présent, un homme suffisamment riche pour pouvoir l'épouser. Mais qu'adviendra-t-il s'il échoue, s'il découvre qu'elle ne l'aime plus ?... Non, il préfère ne pas y songer.

Les maisons de Herengracht surgissent soudain dans le clair de lune. Huit heures sonnent. Il flotte dans l'air une bonne odeur de cuisine. Derrière les volets clos, les familles sont en train de dîner. Jadis, il a frappé à chacune de ces portes. « Morue fraîche ! Il est frais mon haddock ! » C'est drôle comme ces maisons autrefois si familières lui sont devenues étrangères. Que de chemin il a parcouru, que de tempêtes il a bravées pendant que ces gens étaient tranquillement assis au coin du feu ! Des mois durant il a rêvé de ce moment. Il n'arrive pas à y croire. Il va se réveiller dans son hamac de marin et découvrir qu'il est toujours sur l'océan, bercé par le roulis des vagues. La lune qui se reflète à la surface du canal l'accompagne comme un phare dans la nuit.

Le voilà arrivé. Son cœur bat à se rompre. Brusquement, il sent son courage l'abandonner. Maria était sa bonne amie jadis, sa compagne chérie, et voilà qu'il a peur de la revoir. Il change son sac d'épaule et s'approche de la fenêtre. Les volets sont ouverts. Il jette un coup d'œil à travers le carreau.

Une lampe à huile luit faiblement dans la pièce de devant. Les fauteuils ont été recouverts de housses noires. Les tableaux sont retournés face au mur.

Soudain le sang de Willem se glace dans ses veines. Maria est morte ! Mais non, c'est absurde. La maison tout entière ne serait pas plongée dans le deuil à cause d'une servante. Et d'ailleurs elle est trop jeune pour mourir. Quoique... la vie nous réserve parfois des surprises.

C'est sans doute le vieil homme qui a trépassé, et Maria et sa maîtresse ont pris le deuil, si tant est que Maria habite toujours ici. Car elle s'est peut-être mariée. Peut-être n'est-elle même pas au courant que son ancien maître est décédé.

Willem frappe à la porte, doucement, eu égard au défunt. La flamme d'une bougie vacille faiblement dans l'ombre. Il presse son nez contre la vitre. Le vieil homme paraît, vêtu d'une robe d'intérieur et coiffé d'un bonnet de nuit. Sa barbe rougeoie à la lueur de la bougie. On tire un verrou, une clef tourne dans la serrure. La porte s'ouvre.

— Excusez-moi de vous déranger, monsieur, dit Willem en reprenant subitement ses esprits, mais je suis venu voir Maria. Est-elle toujours à votre service ?

Le vieil homme le dévisage en silence.

— Qui êtes-vous ?

— Je suis Willem. J'étais votre poissonnier naguère. Maria est une amie. Elle n'est pas morte au moins ? demande-t-il en avalant sa salive.

— Non, dit M. Sandvoort en secouant la tête, elle n'est pas morte. Suivez-moi.

Willem referme la porte derrière lui et suit le maître des lieux dans le dédale de pièces et de corridors qui mènent à l'office. Chemin faisant, le vieillard fait une pause et l'informe :

— J'ai perdu mon épouse.

— Votre épouse ?

Willem manque une marche. A la cuisine, il est accueilli par une douce chaleur et un fumet appétissant. Le couvert a été mis pour deux. Dans un coin de la pièce, Maria est en train de laver un bébé.

— Willem ! s'écrie-t-elle en apercevant le jeune homme.

Son visage s'illumine brièvement, puis ses traits se durcissent. Willem laisse errer son regard sur le nourrisson. C'est le bébé de Maria et du vieil homme, songe-t-il. Il règne dans la pièce une telle atmosphère d'intimité. La tête lui tourne.

Maria décoche à Willem un regard suspicieux puis, saisissant le bébé à bout de bras comme un trophée de pêche, elle commence à l'emmailloter.

— Que viens-tu faire ici ? demande-t-elle sèchement.

— Je suis venu te voir.

Elle le scrute de la tête aux pieds.

— Où étais-tu passé ?

— Je me suis engagé dans la marine, explique-t-il. Je débarque à l'instant.

Voyant la mine défaite de Maria, M. Sandvoort lui demande :

— Vous vous sentez bien, ma chère ?

Elle hoche la tête et se laisse choir sur une chaise. Bien que n'y ayant point été invité, Willem l'imite. Il n'est pas question pour lui de renoncer, pas encore tout au moins. Il commence par adresser ses condoléances au vieil homme.

— Je suis navré pour votre épouse, dit-il.

— Elle est morte en couches, explique Maria. C'est sa fille, ajoute-t-elle en montrant le bébé. Elle s'appelle Sophia.

— Ah, bredouille Willem, embarrassé.

Maria continue de le dévisager en silence, les paupières plissées. Elle n'a pas l'air contente de le revoir. Elle ne porte pas d'alliance, mais cela ne prouve rien, peut-être voit-elle toujours son amant en cachette. Willem éprouve un pincement au cœur. Comme elle est rose et fraîche à la lueur des flammes !

M. Sandvoort s'éclaircit la voix.

— Croyez-vous qu'il soit raisonnable que je vous laisse seule avec ce jeune homme, Maria ?

La servante hoche la tête. Le vieil homme se retire. Les deux jeunes gens l'écoutent s'éloigner.

— Pourquoi m'as-tu abandonnée ? explose-t-elle alors brusquement. Quelle mouche t'a donc piqué ?

— Moi ? Et toi donc ?

— Pourquoi es-tu parti ? insiste-t-elle.

— Parce que je t'ai vue avec ton amant.

— Quoi !

— Ne fais pas l'innocente.

Soudain elle hausse le ton.

— Quel amant ? Où ça ?

— Je t'ai suivie ce soir-là. Tu l'as embrassé.

— Mais tu es complètement fou !

— Inutile de nier, je t'ai vue.

— Mais tu as vu quoi ? Explique-toi ! s'écrie Maria, au bord des larmes. Et moi qui croyais que tu m'aimais !

— Oui, je t'aimais !

— Dans ce cas, pourquoi es-tu parti ?

Elle éclate en sanglots.

— Si tu m'aimes vraiment, viens avec moi, dit-il.

— Comment ?

— Viens avec moi, répète-t-il.

— Maintenant ?

— Epouse-moi.

— Mais Willem...

— C'est parce que je ne suis pas assez riche, hein ? Parce que je ne suis pas aussi riche que lui ?

— Aussi riche que qui, pour l'amour du ciel ?

— C'est de l'argent que tu veux ? Eh bien en voilà.

Il fouille dans sa poche.

— Je ne veux pas de ton argent. Qu'est-ce qui te prend ?

— Prouve-moi que tu m'aimes. Epouse-moi !

— Je ne peux pas.

— Ah ! Tu vois que tu ne m'aimes pas.

— Mais Willem, je ne peux pas laisser l'enfant.

— Trouve une nourrice.

— C'est impossible. Bon sang, mais tu ne comprends donc rien !

— Oh, si, je comprends...

— Non, tu ne comprends pas, s'écrie-t-elle, soudain excédée.

Le nourrisson se met à pleurer.

Maria le prend dans ses bras.

— Je ne peux pas la quitter, dit-elle en rougissant, parce qu'elle est à moi.

— Que dis-tu ?

— Elle est à moi, nigaud ! A moi et à toi.

Le bébé redouble de pleurs. Maria, désemparée, délace son corset et lui donne le sein.

Médusé, Willem regarde l'enfant téter en pressant la chair de ses doigts minuscules. Ses boucles noires et mouillées contrastent violemment avec la peau blanche de la jeune femme. Le silence s'installe. On n'entend plus que le bruit humide de la succion. Willem s'efforce de mettre de l'ordre dans ses pensées, il compte les mois qui se sont écoulés depuis son départ. Ni l'un ni l'autre ne remarque que la porte s'ouvre.

— Etes-vous sûre que tout va bien, ma chère ? J'ai entendu des cris et...

Cornelis se fige sur place. Maria est nue jusqu'à la taille et donne le sein à son enfant.

62

JAN

Yahvé, entends ma prière, que mon cri vienne jusqu'à Toi ; ne cache pas loin de moi Ta face au jour de l'angoisse qui me tient.

Psaume 102

Jan, Lysbeth et Mattheus sont partis, chacun de leur côté, à la recherche de Sophia. Comme personne ne sait où elle est allée, ils arpentent les rues au hasard. Lysbeth a dit qu'elle était peut-être retournée chez son mari pour lui avouer sa faute et implorer son pardon. Mais Jan en doute. Mattheus, quant à lui, pense qu'elle est retournée chez sa mère, à Utrecht ; Jan ne croit pas non plus à cette hypothèse.

Il les écoute d'une oreille distraite, car au fond de lui il a deviné les projets de Sophia. Il n'y a qu'une chose qu'elle puisse faire à présent, une chose terrible, et il ne va pas tarder à en avoir le cœur net.

Lorsqu'il retourne chez son ami, ce dernier est déjà rentré. Une cape bleue, trempée, gît à terre.

— Je l'ai repêchée dans le canal, dit Mattheus.

Il ajoute qu'il n'a pas aperçu le moindre cadavre.

— On peut y retourner et chercher ensemble, si tu veux, propose-t-il.

Nous ne pouvons cependant pas demander aux autorités de draguer le canal. Comment pourrions-nous faire rechercher une femme qui est déjà morte et enterrée ?

63

CORNELIS

La cendre est le pain que je mange ; je mêle à ma boisson mes larmes.

Psaume 102

Cornelis est complètement abasourdi. Il a reçu plus d'un choc dans sa vie, mais cette fois il a l'impression que son corps est en train de se vider de sa substance. Sa carcasse le supporte à peine. Willem lui a servi un remontant, mais sa main tremble si fort qu'il est incapable de le porter jusqu'à ses lèvres.

Sa femme est vivante. Elle a feint de mourir pour pouvoir s'enfuir avec le peintre Jan Van Loos.

Ces paroles lui semblent tellement irréelles qu'elles n'arrivent pas à pénétrer jusqu'à son cerveau.

— Il ne faut pas m'en vouloir, monsieur... dit Maria.

Sa voix résonne, lointaine.

— Je sais que j'ai mal agi, mais par pitié, ne me punissez pas.

Devrait-il lui en vouloir ? Sans doute.

Sophia l'a trompé de la façon la plus abjecte qui soit. Non, c'est impossible, il doit rêver. Demain matin il se réveillera et il sera de nouveau veuf.

On ne devrait pas avoir le droit d'infliger une telle souffrance à son prochain. Faut-il qu'elle ait été désespérée pour agir de la sorte ! Sa femme, car elle est toujours sa femme, est vivante. A l'heure qu'il est, elle est entre les bras de son amant. Et tous deux se moquent de lui. Ah, le vieux fou ! Comment a-t-il pu se laisser duper ainsi ! Et dire qu'en ce moment même ils s'embrassent, ils se caressent !

— Où est-elle allée ?

— Je ne puis vous le dire, monsieur.

— Où sont-ils allés ? rugit Cornelis.

L'enfant se réveille et se met à pleurer.

— J'aurais dû tenir ma langue, gémit Maria. Elle va me tuer.

— Je la retrouverai coûte que coûte.

— Non, monsieur. Elle est partie très loin. Vous ne pourrez jamais la retrouver. Mieux vaut penser qu'elle est morte.

Cornelis se lève d'un bond.

— Où allez-vous ? demande Maria, affolée.

Le regard de Cornelis se pose sur le bébé qui crie tant et plus. Le vieil homme aimerait le calmer en lui mettant doucement un doigt dans la bouche, mais ce geste lui semble soudain incongru. Après tout, cette enfant n'est pas sa fille. A la place, il lui caresse la joue.

— Et dire que je la croyais à moi, soupire-t-il. Je trouvais même qu'elle avait mon nez.

Cornelis se hâte par les rues. Au loin, les trompettes sonnent dix heures. Les habitants d'Amsterdam se sont enfermés à double tour pour la nuit. Comme cette ville lui semblait sûre, jadis, lorsqu'il soufflait sa bougie, le soir, avant de s'endormir. Il file sur le chemin que sa femme a dû emprunter pour aller rejoindre son amant. Un rat traverse la rue en courant et se faufile dans la rivière. Le canal empeste. Et dire qu'il fut un temps où il trouvait cette ville propre, alors qu'elle est corrompue jusqu'à la moelle. Elle est construite sur des pilotis de bois qui s'enfoncent peu à peu dans la vase. Ces maisons hautes et étroites ne sont que des illusions, elles sont plus fragiles que du papier ; elles exhibent des façades peintes, comme des putains, mais quelle abjecte vérité se cache derrière leurs murs ? Un rien suffirait à faire s'effondrer ces frêles bâtisses, à les faire s'enfoncer dans la boue. Ah, faut-il qu'il ait été aveugle !

Les cauchemars se succèdent sans fin. A l'horreur de la mort de Sophia a succédé celle d'apprendre qu'elle était toujours en vie. L'ennemi n'était ni un rôdeur ni un Espagnol, non, l'ennemi était tapi dans sa propre maison. Depuis combien de temps lui mentait-elle ? Retrouvait-elle son amant quand Cornelis était au travail ? Lorsqu'elle se plaignait de la migraine ou de maux de dents, n'était-ce qu'une excuse pour aller courir les rues à la nuit tombée ? Rêvait-elle de son amant lorsqu'elle dormait entre ses bras ? Comble de la perfidie, elle tapotait tendrement l'oreiller qu'elle portait sous sa robe et regardait Cornelis se rengorger à l'idée qu'il serait bientôt papa. Ah ! Comment a-t-elle pu le prendre ainsi pour un sot, un cocu et un sot !

Cornelis enfile les rues de Jordaan. Ses poumons vont éclater. Ses jambes ne peuvent plus le porter, mais il continue de courir en soufflant comme un bœuf. Arrivé à Bloemgracht, il s'arrête devant la porte du peintre. La maison semble vide. Les volets du rez-de-chaussée sont clos. Et dire qu'il n'y a pas si longtemps il est entré dans cet atelier pour admirer son propre portrait. Dire qu'il a payé quatre-vingts florins à l'homme qui lui a ravi sa femme. Il y avait un lit dans la pièce, un lit immense qui semblait occuper tout l'espace.

Cornelis tambourine à la porte. Pas de réponse. Il aurait dû s'en douter. Il voulait cependant en avoir le cœur net. Il ne sait où diriger ses pas à présent.

Une vague silhouette remue dans l'ombre. C'est un homme, recroquevillé dans le ruisseau.

Cornelis se baisse. L'homme lève vers lui un regard hébété. C'est le valet du peintre.

— Où sont-ils allés ? demande Cornelis.

La lune éclaire la face ahurie du domestique.

— Qui... qui ça ? bredouille-t-il.

— Tu le sais très bien. Ton maître, Jan Van Loos, où est-il ?

L'autre hésite.

— Je... je peux pas l'dire.

— Vas-tu parler, canaille ! rugit Cornelis.

L'homme se roule en boule, comme pour esquiver un coup. Cornelis sort quelques pièces de sa bourse et les jette sur l'ivrogne. Elles tombent en silence. L'homme se retourne face au mur.

— Dis-moi où ils sont allés.

L'autre marmonne une vague réponse.

— Qu'y a-t-il ? Tu en veux encore ?

Le serviteur secoue la tête en bredouillant.

— Parle donc !

— Je lui ai causé bien du tort, monsieur. Je ne veux pas lui en causer plus. Je vous en prie, passez votre chemin. Laissez-moi tranquille.

L'homme remonte sa pèlerine par-dessus sa tête, puis se recroqueville en gémissant, comme un chien qui pleure son maître.

A bout de forces, Cornelis se laisse tomber aux côtés de l'ivrogne.

Il est un paria, lui aussi. Les remparts qui le protégeaient jadis se sont effondrés un à un, et à présent il se sent terriblement seul. Que va-t-il devenir ? Personne ne peut plus lui venir en aide. Pas même Dieu, puisqu'il a cessé d'exister.

Grelottant, Cornelis s'adosse au mur. Un peu plus loin, des hommes sortent en titubant d'une taverne. Ils se crient leurs bonsoirs dans le noir.

Soudain le vieil homme relève la tête. Il se souvient du garçon qui se trouvait dans l'atelier ce jour-là ; un gamin maigre et pâle, l'apprenti du peintre. Il s'était approché lorsqu'ils regardaient la toile. « Admirez le rendu, monsieur. Vos jambes en particulier... »

Qui pourrait lui dire où le trouver ? Au bout de la rue, le dernier quinquet s'est éteint. La taverne ferme ses portes. Fourbu, Cornelis se remet en route.

64

JACOB

Mon Dieu, traite-les comme une roue d'acanthe, comme un fétu de paille au vent ;
Comme un feu dévore une forêt, comme la flamme embrase les montagnes, ainsi poursuis-les de ta bourrasque, par ton ouragan remplis-les d'épouvante. Couvre leur face de honte.

Psaume 83

Dans la rue des couteliers les volets sont fermés. Les instruments de dépeçage ont été mis sous les verrous pour la nuit dans des cabinets obscurs. Au premier, les boutiquiers et leurs femmes dorment à poings fermés. Ils rêvent qu'une lame fend le ventre argenté d'un hareng ; des branchies jusqu'au cloaque : les boyaux jaillissent. Ils glissent leurs doigts sous la peau d'un poulet, comme on enfile un gant. Les couteaux transpercent la chair, détachent la cuisse du reste de la carcasse. Chaque nuit ces gens rêvent de boucherie car c'est là tout leur univers, ils n'en connaissent pas d'autre. Tout au long du jour, des deux côtés de la rue des couteliers, les hachoirs étincelants s'agitent en cadence.

Au fond de l'échoppe des parents de Jacob on aperçoit de la lumière. Installé dans la pièce du fond, éclairé par six chandelles et une lampe à huile, le jeune homme s'apprête à peindre une toile de grandes dimensions au sujet ambitieux : *Adam et Eve chassés du jardin d'Eden.* Il est en train d'en tracer l'esquisse préliminaire, son mannequin de bois posé devant lui sur son chevalet. Jacob l'a volé à son maître, le dernier jour ; un acte de rébellion. Il a donné au pantin articulé la pose de la honte : tête baissée, les bras ramenés devant la figure. Eve aura les bras levés en signe de désespoir.

Jacob ne s'est pas encore remis d'avoir été chassé. Le traître ! Son maître a ruiné sa carrière avant même qu'il ne l'ait entamée. Comment pourra-t-il passer ses épreuves de compagnonnage si personne ne lui enseigne la peinture ? La semaine prochaine, il va faire la tournée des ateliers en quête d'un nouveau maître. Quelle humiliation ! Jan a ruiné l'avenir de Jacob pour pouvoir assouvir ses bas instincts. Il a même peint une femme nue. Quand il était seul, le jeune apprenti regardait les tableaux de son maître en secret ; les seins de Sophia, son long corps blanc. Il en avait les jambes en coton. Si seulement il pouvait prendre un hachoir et réduire le bâtard en chair à pâté !

Jacob saisit une craie et commence à dessiner. Adam, le dos voûté, les fesses nues... Son visage entraperçu derrière son bras replié sera celui de Jan. Voilà sa punition !

Soudain, quelqu'un frappe. Qui cela peut-il être à cette heure tardive ?

Jacob se hâte d'aller ouvrir. Il déverrouille la lourde porte de l'échoppe. C'est M. Sandvoort. Il est hors d'haleine et transpire à grosses gouttes.

— Où est-il ?

Jacob le mène jusqu'à l'arrière-boutique et le fait asseoir.

— Puis-je vous offrir un cordial, monsieur ?

Le vieil homme refuse. Naturellement, Jacob sait qui est M. Sandvoort. C'est le mari de la maîtresse de Jan, la femme qui en ce moment même s'apprête à prendre la mer.

— Qui vous a donné mon adresse ? s'informe le jeune homme.

— Comment ? sursaute Cornelis, perdu dans ses pensées. Oh, j'ai demandé à la taverne.

Il se penche en avant. Son visage gris est luisant de sueur ; il pose sur Jacob un regard fiévreux.

— Il faut que vous m'aidiez, jeune homme. Vous êtes la seule personne qui puissiez le faire. Où est-il allé ?

— Qui ça ? demande Jacob, en feignant l'ignorance.

— Votre maître, le peintre Jan Van Loos. Il a disparu avec... J'ai des raisons de croire... Je dois absolument le retrouver.

Jacob ne répond pas. Il réfléchit.

— Je suis prêt à vous payer grassement, implore M. Sandvoort.

— Je ne veux pas de votre argent, rétorque le jeune homme, l'air digne.

— Savez-vous où ils sont allés ? Etiez-vous... au courant de ce qui s'est passé ?

Jacob opine du chef.

— Je vous en conjure, dites-moi où ils se cachent.

Le jeune peintre reste impassible. Un sentiment de profonde satisfaction l'envahit soudain des pieds à la tête comme une douce chaleur. Ainsi donc, il existe une justice. Les méchants seront châtiés. Il va à son tour pouvoir causer la ruine de l'homme qui l'a ruiné.

— Je sais où ils sont, dit-il enfin, avant de marquer une pause pour savourer pleinement son triomphe. Un garçon s'est présenté à l'atelier avec une créance.

Il fait une nouvelle pause pour ménager ses effets et tenir M. Sandvoort en haleine. Bientôt le couperet va tomber. Son ancien maître sera réduit à la ruine et justice sera faite.

— Ils s'embarquent pour Batavia.

— Batavia ?

— Ils partent demain matin à la première heure, sur l'*Impératrice d'Orient*.

Tandis qu'il prononce ces paroles, il voit les mamelons roses de Sophia surgir sous ses yeux. Soudain pris d'un élan chevaleresque, il refoule la jalousie et la concupiscence qui s'emparent de son cœur et déclare :

— Ce n'est pas la faute de votre épouse, monsieur, elle n'est pas responsable. C'est mon maître qui l'a persuadée de le suivre.

Elle aussi a été dupée par cette crapule. Il a ruiné sa réputation tout comme il a détruit la carrière de Jacob.

— Elle ne voulait pas vous nuire, monsieur, insiste-t-il, j'en suis sûr. Je les ai observés, je le sais. Il a réussi à la persuader malgré elle.

M. Sandvoort le remercie et regagne la porte. Au passage il heurte un cabinet : les hachoirs cliquettent frénétiquement sur leurs supports. Il sort.

Jacob s'en retourne à sa toile. Il contemple avec satisfaction la silhouette d'Adam courbée par la honte. Jan sera puni, car il a péché et doit payer pour ses fautes.

Jacob prend sa craie et se remet au travail.

65

Cornelis

La vie est à demi consumée lorsque nous découvrons ce qu'elle est vraiment.

Jacob Cats, *Emblèmes moraux*, 1632

Il est minuit lorsque Cornelis regagne son logis. Dans le salon, la lampe à huile brûle toujours, répandant une douce lumière sur les murs où sont accrochés ses tableaux retournés. Ses toiles bien-aimées cachent leur joli visage comme si elles refusaient de voir la réalité. L'art crée un monde de paix ; les meurtres les plus sanglants, tels que le massacre des Innocents ou la crucifixion de Jésus, y sont distillés dans la beauté. Le martyr Jean le Baptiste ne ressent pas la douleur, car il est éternel et les souffrances brutales de ceux qui continuent à vivre ne peuvent plus l'atteindre.

Cornelis contemple un instant le cabinet dans lequel est enfermée sa précieuse argenterie, puis laisse errer son regard sur la majestueuse enfilade de pièces qui se perd dans l'obscurité. Avec quel acharnement il a amassé ces trésors. Or, tout ceci n'était qu'une illusion. Sophia l'avait compris. Elle a tout abandonné par amour, puis elle est partie à la dérive. « Il ne faut pas lui en vouloir. » Cornelis a d'ailleurs cessé de le faire. Car si elle peut renoncer à ces biens terrestres, il le peut lui aussi.

Il monte au premier. Il ne peut désormais plus demeurer dans cette maison, objet de ragots, de pitié... et de moqueries aussi, probablement. Il prend une sacoche de toile dans l'armoire et commence à la remplir. Un poids lui a été ôté. Il se sent aussi léger et libre que le soir où il a perdu la foi. Il sait ce qu'il doit faire désormais. Sophia est vivante, elle a été entraînée hors du droit chemin par un misérable. L'apprenti a confirmé ce que Cornelis soupçonnait depuis toujours. C'est Jan qui l'a obligée à le suivre, mais le coquin va payer de sa vie.

« Ils s'embarquent à l'aube... » Il n'y a pas une minute à perdre. Après avoir soigneusement bouclé sa sacoche, Cornelis regagne le rez-de-chaussée. Il voyagera léger. En haut, les armoires croulent sous le poids du linge, les dépouilles oubliées de sa vanité. Maintenant qu'il a secoué le joug qui pesait depuis des années sur ses épaules, il se sent rajeunir. Sophia croit qu'il n'est qu'un vieux birbe présomptueux, il va lui prouver le contraire. Lui aussi est capable d'agir sur un coup de tête, par amour.

Et personne ne le punira. C'est là le secret des secrets, celui qui lui a rendu sa liberté. Car lui, et lui seul, sait que Dieu n'existe pas. Lui, et lui seul, porte la responsabilité de ses actes. Cornelis est entré de plain-pied dans le monde moderne, un monde meilleur où les hommes sont les maîtres de leur propre destinée. En passant devant la Bible ouverte sur le lutrin, il la referme d'un claquement sec.

Il descend les marches qui mènent à l'office. Des braises luisent encore dans l'âtre. La cuisine sent l'oignon frit et le chat de gouttière. Il s'approche du lit. Les rideaux sont à demi tirés. Il jette un coup d'œil à l'intérieur : Willem et Maria dorment côte à côte. Les lèvres pulpeuses du poissonnier sont entrouvertes. Il respire bruyamment. Maria, elle respire par le nez avec un petit sifflement. Entre eux, on devine une touffe de cheveux noirs : leur fille dort à poings fermés.

Cornelis éprouve un petit pincement au cœur. Comme ils ont l'air heureux ! La gorge du vieil homme se noue. Il a l'impression d'être un intrus. Il ne l'a pas encore quittée qu'il se sent comme un étranger dans sa propre maison.

Il leur laisse un mot, ainsi qu'un ordre de banque, sur la table de la cuisine.

Je pars outre-mer. Je ne pense pas revenir avant long-temps. Au cas où il m'arriverait malheur, je vous laisse cette maison, à vous et à votre fille qui, aux yeux de la loi, est mon héritière légitime. Nous sommes les seuls à connaître la vérité, gardez-la toujours cachée au fond de vos cœurs.

Veuillez faire parvenir ce paiement à la mère de mon épouse, car la malheureuse n'est pour rien dans cette affaire. Je vous souhaite à tous d'être heureux. Retour-nez les tableaux et profitez de leur beauté, car ils nous survivront. C.S.

Le port ne dort jamais. Il vit au rythme des marées et n'a que faire des horloges. Les bateaux de pêche déchargent leurs caques. Quelqu'un sifflote un air que Cornelis chantait quand il était enfant. Une chienne pleine marche en se traînant. « Nous devons engager une nourrice. » Comme il a honte de s'être laissé berner ! Lui, l'éminent citoyen, le riche mar-chand, a été dupé par une simple servante. C'est le monde à l'envers.

286

Cependant sa colère s'est évanouie ; son ressentiment s'est envolé. Maria a mal agi, mais Cornelis sait qu'aucun châtiment ne l'attend et qu'elle peut dormir sur ses deux oreilles. En vérité, ses retrouvailles avec son amoureux et la dissipation de leur malentendu l'ont profondément touché. Ils vont ramener la vie entre les murs de sa maison. Maintenant que le vieux buisson fané en a été ôté, le soleil va entrer à flots et de nouvelles pousses vont naître.

Cornelis pense : une fille est entrée dans ma vie et en est aussitôt ressortie.

Il se sent étrangement euphorique. Dans l'obscurité il reconnaît des visages : Samuel Salomon le marchand juif qui, debout sur le quai, inspecte les balles de coton ; le mendiant aveugle pour qui le jour et la nuit se confondent. Ce port, Cornelis le connaît comme sa poche. L'odeur de la mer est inscrite dans ses narines ; c'est l'odeur de la prospérité, du commerce. Comme pour Willem, l'océan a toujours été son gagne-pain. A présent c'est à son tour de se remettre entièrement à la mer. Quand il aura embarqué, toute cette activité portuaire continuera sans lui, comme s'il n'en avait jamais fait partie.

Le ciel commence à se teinter de rose. Il aperçoit au loin les grands mâts de l'*Impératrice d'Orient*. Sa femme et son amant sont déjà à bord. Cornelis n'éprouve pas le moindre remords à l'idée de tuer Jan. Il le fera quand ils seront en pleine mer ; les vagues engloutiront les traces du crime comme elles ont déjà englouti d'autres secrets plus terribles encore. Cornelis connaît bien le capitaine. Ce dernier a une dette envers lui, et il sait qu'il peut acheter son silence pour vingt florins. Pour quarante florins il trouvera même quelqu'un qui se chargera du meurtre à sa place.

Et quand Jan aura disparu dans son tombeau marin, Cornelis reprendra sa femme ; ensemble ils se rendront à Batavia où ils vivront sur une plantation de muscadiers. Pour elle, il a renoncé à tout, car il continue de l'aimer. Et elle apprendra à l'aimer elle aussi ; il a changé, il n'est plus l'homme qu'elle avait épousé.

La vie est courte, le temps fuit. « Il faut cueillir le jour pendant qu'il en est encore temps », disait le peintre. Et, pour une fois, Cornelis est d'accord avec lui.

Il regarde à nouveau sa ville bien-aimée qui prend des reflets nacrés dans le jour naissant. Le brouillard s'est levé, comme s'est levé le brouillard de son passé confus ; une aube neuve, excitante et terrible est apparue. Le ciel bleu et limpide de la raison l'attend, ainsi qu'une nouvelle vie aux côtés de la femme qu'il a perdue et qu'il va reconquérir.

Il achète son passage et s'embarque. Il est arrivé juste à temps. Quelques minutes plus tard, le bateau lève l'ancre et met le cap sur l'Orient.

66

JAN

Affections virales de la tulipe : des altéra-
tions de couleur jaune (mosaïques, mouche-
tures, veinures) sont fréquentes. La cause :
des particules virales microscopiques conte-
nues dans la sève des plants infectés sont
transmises aux tissus sains par le biais de
parasites tels que l'aphidé, le nématode et
autres commensaux.

Société royale d'horticulture,
Encyclopédie de jardinage

Au début de l'an 1637, le marché de la tulipe s'effondre. La Haute Cour de Hollande, inquiète face à l'ampleur de l'hystérie collective, a décidé d'intervenir. Du jour au lendemain, le cours des oignons chute. Des milliers de foyers se retrouvent à la rue. Cédant au désespoir, les gens se jettent dans les canaux. Certains vont chercher refuge auprès d'institutions charitables ; les fidèles repentants affluent dans les églises. Cet étrange épisode, qui témoigne de la cupidité de l'homme et de l'inconstance du destin, sera relégué en marge de l'histoire. Et pourtant il est né de l'amour de la beauté, de la passion pour les fleurs dont la vie est plus brève encore que celle de leurs admirateurs. Comble de l'ironie, les plus chères de ces tulipes, celles qui présentent les mutations de couleurs les plus spectaculaires, sont produites par une affection virale qui ne sera découverte que des années plus tard. S'ils l'avaient su, quels sermons enflammés les prédicants n'auraient-ils pas prononcés du haut de leur chaire !

Lorsque les hommes s'éveillèrent enfin de leur rêve insensé, les fleurs avaient fané, mais les tableaux étaient restés. Les amants séparés ne cherchent-ils pas la consolation dans le portrait de leur bien-aimé ? De la même façon les générations des siècles à venir trouveront l'apaisement dans la contemplation de la beauté qui fut responsable de leurs souffrances.

Et c'est ainsi que, comme l'avait prédit Mattheus, Jan Van Loos va atteindre au génie. « Il faut être courageux, mon ami, et ne pas avoir peur de souffrir. C'est à travers la douleur que nous découvrons la beauté du monde. » Depuis qu'il a perdu Sophia, il vit comme un reclus. Il a loué un nouvel atelier dans son ancien quartier et se consacre à présent exclusivement à son art. Il s'est spécialisé dans la peinture de vanités : des huiles mettant en scène de modestes objets symbolisant le caractère éphémère de la vie. Un oignon — il en peint d'ailleurs très souvent — posé à côté d'un sablier, un petit pain coupé en deux, un crâne humain. La nourriture devient un sacrement. Telle la fumée de l'encens, une simplicité transcendantale enveloppe ses toiles. Grâce à sa souffrance, il peint des chefs-d'œuvre. Plusieurs de ses toiles mettent en scène des miroirs convexes, un verre de vin, une aiguière d'argent dans lesquels se reflète en vignette non pas un peintre attelé à la tâche, mais une femme aux cheveux châtain clair, vêtue d'une robe bleu de cobalt. Bien que son image hante toutes les toiles du maître, elle n'a pu être identifiée avec certitude par les experts. Ceux-ci voient néanmoins une ressemblance avec les nus de 1636 dans lesquels le regard plein d'amour candide du modèle illumine la toile.

Elle réapparaît dans une de ses œuvres maîtresses exposée aujourd'hui au musée de Dresde. Il s'agit d'une nature morte représentant un oignon à demi pelé posé sur une assiette de porcelaine. Des cartes à jouer et un dé sont éparpillés sur la nappe et un livre ouvert révèle une page rédigée en latin : « Nous avons joué, nous avons misé, nous avons perdu. »

Dans un vase repose une tulipe solitaire : sa corolle d'un blanc pur à peine teinté de rose évoque les joues d'une femme qui vient de quitter le lit de son amant. Sur l'un des pétales perle une goutte de rosée dans laquelle se reflète la belle. Il faut une loupe pour la voir distinctement ; elle a l'air de trembler... Sa vie est aussi éphémère qu'une goutte de rosée.

67

MARIA

*Les petits bateaux ne devraient pas
s'éloigner des côtes, alors que les grands
vaisseaux peuvent s'aventurer plus loin.*

Jacob Cats, *Emblèmes moraux*, 1632

Dans sa vie passée, Maria rêvait qu'elle prendrait un jour la place de sa maîtresse. Elle enfilait son mantelet bleu doublé de fourrure et paradait devant les miroirs. La nuit, elle rêvait que sa maîtresse se noyait et qu'elle, Maria, nageait en compagnie de tous ses enfants dans la grande maison de Herengracht.

Et voilà que ses rêves se sont réalisés. D'autres sont morts pour qu'elle puisse vivre. Sophia a disparu depuis six ans maintenant. On pense qu'elle s'est noyée. Quant à M. Sandvoort, il n'est jamais revenu au pays. Sa maison appartient désormais à Maria et Willem. Ils ont deux enfants, deux filles, Sophia et Amelia. Nous sommes en 1642 et ils se sont réunis dans la bibliothèque pour faire peindre leur portrait.

Le soleil qui filtre à travers les carreaux colorés de la fenêtre luit sur Willem, vêtu de chausses noires et d'une veste assortie, et sur Maria qui porte une robe de satin ivoire. Leurs filles sont assises bien droites sur des chaises, leur épagneul king-charles allongé à leurs pieds. Eux aussi ont soif d'immortalité et iront un jour rejoindre la collection du musée Mauritshuis de La Haye : *Portrait d'un inconnu en compagnie de sa femme et de ses filles,* par Jacob Haecht, 1620-1675, signé et daté de 1642. Car Jacob est devenu un portraitiste de renom, fort apprécié pour son souci du détail. Il ne sera jamais un grand maître, il n'atteindra pas en effet les sommets d'un Jan Van Loos, mais il plaira au public.

Tout en peignant, il demande :

— Au fait, qu'est-il advenu du vieux M. Sandvoort ?

— Nul ne le sait, répond Willem. Nous n'avons recueilli que des rumeurs le concernant.

Les nouvelles en provenance des Indes orientales mettent du temps à leur parvenir et ne sont pas toujours dignes de foi.

— D'aucuns prétendent qu'il a succombé à la fièvre jaune.

Willem a pris du ventre et est devenu un peu prétentieux. D'une chiquenaude il ôte un grain de poussière de sa veste.

— Je n'en crois pas un mot, dit Maria. J'ai entendu dire qu'il vivait en ménage avec une beauté indigène.

— Qui t'a dit cela ? s'enquiert son mari.

— Quelqu'un... Il paraît qu'il vit avec elle dans le péché, hors des liens sacrés du mariage. On raconte qu'il n'a pas mis une seule fois les pieds à l'église depuis son arrivée là-bas.

– Est-ce possible ? s'étonne Willem.

— Je le crois, répond Maria. Il mérite bien une petite part de bonheur, lui aussi.

— Ne riez pas, dit Jacob. Je suis en train de peindre votre bouche.

Il recommence à peindre en silence. Les fillettes s'agitent sur leurs sièges dans un froissement de jupons. Le chien s'est endormi.

— J'ai travaillé sur son portrait il y a six ans, dit Jacob. C'est moi qui l'ai peint presque entièrement. Vous vous souvenez ?

Maria hoche la tête.

Jacob regarde la petite fille.

— Sa fille lui ressemble, vous ne trouvez pas ?

Maria sourit de toutes ses dents.

— Vraiment ? Moi, je ne trouve pas, dit-elle en caressant la tête de la petite.

— Ne bougez pas, ordonne sèchement Jacob.

68

Jan

L'homme, ses jours sont comme l'herbe,
comme la fleur des champs il fleurit ;
Sur lui, qu'un souffle passe, il n'est plus,
Jamais plus ne le connaîtra sa place.

Psaume 103

Nous sommes en septembre 1648. Par un beau matin ensoleillé et venteux, Jan se rend au marché pour faire quelques emplettes. Voilà plusieurs jours qu'il n'a pas quitté son atelier et il n'a plus rien à se mettre sous la dent.

La lumière du jour l'aveugle ; il cligne des yeux. Un commerçant agite les bras pour chasser les chiens qui rôdent autour de son étal, les colporteurs vantent leurs marchandises. Une jument baie écarte les pattes puis, relevant la queue, asperge le pavé d'un torrent d'urine fumante. Comme elle a l'air fringante, campée ainsi sur ses belles cuisses luisantes de sueur ! Tout en se soulageant, elle éternue avec un grognement de satisfaction. C'est là toute sa vie, elle n'en connaît pas d'autre. Le cheval ne connaît pas l'angoisse de la mort. « Les espoirs de l'homme sont fragiles comme le verre et comme le verre sa vie est courte. » Mais la jument n'en a que faire.

En ce qui le concerne, Jan ne craint pas la mort. Depuis que Sophia a disparu, il y a douze ans, il a cessé d'exister lui aussi. Il a fermé la porte du passé et en a ouvert une autre. Grâce à ses toiles, il s'est recréé un monde. Son univers tout entier est contenu dans l'immobilité de ses natures mortes, et chaque fois qu'il sort dans la rue il est surpris de voir les gens s'agiter en tous sens, surpris de constater que le monde continue de tourner sans elle. Des enfants naissent ; des pilotis ont été plantés dans la vase de Damplein pour servir de fondations au futur grand Hôtel de Ville d'Amsterdam, qui sera un monument à la fierté nationale et une source d'émerveillement pour les générations à venir.

La vie de Sophia s'est arrêtée, mais elle continue de vivre dans le cœur de Jan. Lorsqu'il lui parle, il sait qu'elle retient son souffle pour l'écouter. Elle continue de vivre à travers ses toiles ; il a capturé son reflet dans la courbe d'un vase. Il ne craint pas la mort car il a survécu à un tourment bien pire. En fait, il vivra jusqu'à l'âge de soixante et un ans, le temps que durera l'âge d'or de la peinture hollandaise. Pour l'heure, ses œuvres maîtresses restent encore à peindre. Mais, en ce beau matin de septembre, il laisse errer son regard sur l'étal des poissonniers, fasciné par l'éclat métallique des harengs qui brillent au soleil. Comment est-il possible que, même morts, ils arrivent à conserver un tel éclat ? Et d'ailleurs qu'importe qu'ils soient morts, puisqu'ils reviendront à la vie sous le pinceau du peintre.

Jan s'arrête à l'étal d'un marchand de quatre-saisons et achète une pomme. Plus tard, il se souviendra de cet instant. Il croque le fruit à belles dents. Non loin de là, gît un monceau d'entrailles dont se repaît un corbeau. Ses serres plantées dans la chair, il dépèce les boyaux gluants. Quand il était enfant, Jan regardait son père battre le métal dans sa misérable échoppe. Il pense à l'éclat des poissons, au plat d'argent que façonnait son père, et brusquement celui-ci lui manque.

Tout en croquant sa pomme il aperçoit un groupe de béguines qui traverse la place. Elles se meuvent comme des ombres grises ; ces nonnes, retirées du monde, mènent une existence spectrale. Il existe un couvent catholique en plein cœur de la ville qui abrite un ordre cloîtré, totalement impénétrable. Derrière ses murs, les religieuses consacrent leurs journées à Dieu et à la prière. Pour sortir en ville, elles portent un voile noir qui leur couvre entièrement la figure.

L'une d'elles se tient légèrement à l'écart. Il y a quelque chose de familier dans sa démarche, dans sa taille élancée, son pas hésitant. Le vent s'engouffre dans ses voiles, les faisant voltiger autour d'elle.

Il ne peut détacher ses yeux de cette frêle silhouette. Entre elle et lui se presse la foule des chalands. Soudain elle se fige sur place, comme une biche apeurée, et saisit le crucifix qu'elle porte autour du cou.

Au même moment, le vent soulève son voile noir et il aperçoit son visage, juste un instant, une fraction de seconde. La nonne tourne aussitôt les talons et se fond dans la foule.

Jan reste pétrifié, les jambes coupées. Un mendiant lui tend la main.

— Dieu vous bénisse, mon enfant.

D'une main fébrile, le peintre cherche sa bourse. Il n'en croit pas ses yeux. Ainsi donc elle est toujours vivante ! A moins qu'il ne s'agisse d'une hallucination. Est-il à ce point possédé par l'amour qu'il ne sait plus faire la différence entre l'art et l'illusion ?

Tout en cherchant quelques pièces, il détourne brièvement les yeux. Quand il relève la tête la béguine a disparu. La silhouette grise voilée de noir s'est évaporée, comme une simple chimère de son imagination.